CO:

Sayaka Murata

La fille
de la supérette

*Traduit du japonais
par Mathilde Tamae-Bouhon*

Denoël

Titre original :

KONBINI NINGEN

Sayaka Murata est née en 1979. Son roman *La fille de la supérette* (paru chez Denoël sous le titre *Konbini*) a connu un succès fulgurant au Japon, avec plus d'un million d'exemplaires vendus et un accueil retentissant auprès des critiques. Elle a reçu de nombreux prix, dont le prix Akutagawa, équivalent japonais du Goncourt. Malgré tout, Sayaka Murata a continué de travailler dans sa petite supérette pendant plusieurs mois avant de prendre finalement la décision de se consacrer à l'écriture.

Les supérettes japonaises résonnent de toutes sortes de bruits. De la clochette annonçant l'arrivée des clients à la litanie d'une *idol* pop faisant la promotion des nouveaux produits dans les haut-parleurs du magasin. Des voix des employés au bip du scanner à code-barres. Autant de signaux qui s'entremêlent pour venir caresser mon oreille : c'est le chant du *konbini*[1].

Près de la caisse, le discret roulement d'une bouteille en plastique venue en remplacer une autre depuis le fond du présentoir me fait lever la tête — réaction instinctive lorsqu'un client attrape une boisson fraîche au moment de payer. La jeune femme, son eau minérale à la main, s'attarde un instant devant les desserts avant de revenir dans mon champ de vision.

J'aligne les boules de riz *onigiri* fraîchement

1. Abréviation nipponisée de l'anglais *convenience store*. (*Toutes les notes sont de la traductrice.*)

livrées tout en laissant mon organisme analyser les informations relayées par les innombrables bruits qui fourmillent à travers le magasin. À cette heure de la matinée, on vend surtout des onigiri, des sandwiches et des salades composées. En face de moi, Sugehara procède à l'inventaire à l'aide d'un petit scanner pendant que je dispose avec soin les plats préparés. Deux rangées de fromage à la rogue de colin au centre, deux rangées de sandwiches thon-mayonnaise (produit phare de notre magasin) d'un côté, une rangée d'onigiri à la bonite séchée (qui se vendent moins bien) de l'autre. Courant contre la montre, je travaille sans réfléchir, mon corps obéissant aux directives gravées dans mon inconscient.

Un tintement métallique attire mon attention. Le bruit des piécettes que l'on trie dans sa paume, caractéristique des clients venus acheter un paquet de cigarettes ou un journal avant de rentrer chez eux, ne manque jamais de m'alerter. Mon instinct ne m'a pas trompée : un jeune homme s'avance, une canette de café dans une main, l'autre plongée dans sa poche. Je m'empresse de rejoindre la caisse. Il ne faudrait pas le faire attendre.

— Bonjour, bienvenue chez SmileMart! lancé-je joyeusement en acceptant l'article qu'il me tend.

— Ah, je prendrai aussi des cigarettes, numéro 5.

— Bien sûr.

J'attrape et scanne un paquet de Marlboro light mentholées.

— Merci de confirmer votre âge, je vous prie.

Tout en appliquant l'index sur l'écran, le jeune homme porte son regard sur le présentoir de plats à emporter. Je m'apprête à lui demander s'il désire autre chose, avant de me raviser : il hésite.

— Et un pogo, aussi.

— Tout de suite, monsieur.

Je me désinfecte les mains avant d'ouvrir la vitrine pour en sortir une saucisse sur bâtonnet que j'emballe.

— Voulez-vous que je range votre boisson fraîche dans un sac à part ?

— Pas la peine, mettez tout ensemble.

Je place la canette de café, le paquet de cigarettes et la saucisse chaude empaquetée dans un sac de taille S. Le jeune homme fouille ses poches en quête de monnaie, avant de porter finalement la main à sa poitrine : il va régler par carte prépayée.

— Je paye par *Suica*.

— Bien entendu. Vous pouvez passer votre carte devant le lecteur.

Mon corps bouge de lui-même, guidé par les moindres gestes et coups d'œil du client décodés par ces précieux capteurs que sont mes yeux et mes oreilles. Je réagis au quart de tour, en prenant bien soin de ne pas le mettre mal à l'aise par des regards trop appuyés.

— Voici votre reçu. Merci et bonne journée!

Il accepte le papier en marmonnant un « merci » et se dirige vers la sortie.

— Bonjour, bienvenue chez SmileMart, merci de votre patience! lancé-je à l'attention de la cliente suivante.

La matinée se déroule sans anicroche dans notre petite boîte lumineuse.

Les silhouettes pressées s'affairent de l'autre côté de la vitre impeccablement polie. C'est le début de la journée. L'heure où le monde s'éveille, où ses rouages se mettent en branle. Moi-même, je ne suis qu'une pièce du mécanisme en rotation communément appelé « matin ».

Izumi, responsable des temps partiels, m'interpelle alors que je retourne disposer les onigiri dans la vitrine.

— Furukura, combien de billets de cinq mille yens reste-t-il dans votre caisse?

— Deux seulement.

— C'est ennuyeux... je ne sais pas pourquoi, on nous donne surtout des coupures de 10 000 aujourd'hui. Et il n'en reste pas beaucoup dans le coffre, non plus. Je vais devoir faire un saut à la banque dans la matinée, dès qu'il y aura moins de monde.

— Merci de vous en occuper!

Le manque d'effectifs contraint le gérant à

assurer le service de nuit, nous laissant le soin, à Izumi et moi-même, de tenir la boutique de jour comme le feraient des employés à plein temps.

— J'irai faire de la monnaie vers dix heures. Ah, et n'oubliez pas qu'on a reçu des *inarizushi*[1] aujourd'hui. Je compte sur vous pour en proposer aux clients.

— Entendu!

L'horloge indique près de 9 h 30. Bientôt, la fréquentation baissera, et il faudra se dépêcher de disposer les articles en prévision du rush de la mi-journée. Je m'étire les muscles du dos avant de retourner aligner les onigiri près du comptoir.

De mon passé avant de renaître en employée de konbini, je ne garde qu'un souvenir flou.

J'ai grandi dans un lotissement de banlieue, élevée par une famille ordinaire, à l'affection tout aussi ordinaire. J'étais néanmoins une enfant un peu étrange.

Un exemple, remontant à la maternelle : un jour, au parc, on trouva un oiseau mort. Un très joli passereau bleu, domestiqué sans doute, qui gisait, la tête penchée mollement, les yeux clos. Les enfants rassemblés autour de lui pleuraient. « Qu'est-ce qu'on va faire ? » demanda une fillette. Je pris aussitôt le volatile dans mes

1. Boule de riz enveloppée de tofu frit.

mains pour l'apporter aux mamans assises sur les bancs.

— Qu'y a-t-il, Keiko? Ah, un petit oiseau...! Il a dû tomber de quelque part... Le pauvre. Veux-tu qu'on l'enterre? demanda ma mère d'un air doux.

Je secouai la tête.

— On n'a qu'à le manger, répondis-je.

— Pardon?

— Papa aime bien la volaille. On n'aura qu'à le manger ce soir, répétai-je en articulant bien, pensant qu'elle avait mal entendu.

La voisine de ma mère me dévisageait, bouche bée, les yeux et les narines écarquillés, dans une expression bizarre qui me donnait envie de rire. Sans doute pensait-elle qu'un oiseau ne suffirait pas, me dis-je en voyant son regard fixé sur mes mains.

— Je vais en chercher un autre?

— Keiko! s'écria ma mère d'une voix pleine de reproche, avisant les quelques moineaux qui sautillaient non loin. On va enterrer le petit oiseau, d'accord? Regarde, tout le monde pleure! C'est triste, quand un ami disparaît. N'as-tu pas de la peine pour lui?

— À quoi bon? Puisqu'il est mort.

Ma question laissa ma mère sans voix.

Pour moi, il semblait évident que ma famille serait ravie de manger cet oiseau. Après tout, mon père adorait ça, et ma sœur et moi raffolions

14

du poulet frit. Ce n'étaient pas les passereaux qui manquaient au parc. Pourquoi fallait-il enterrer celui-là, au lieu de le manger ? Ça me dépassait complètement.

— Il est tout mignon, ce petit oiseau, tu ne trouves pas ? reprit ma mère le plus sérieusement du monde. On va lui faire une tombe là-bas, et tout le monde va déposer des fleurs.

Je finis par me laisser convaincre, même si je ne comprenais toujours pas. Alors qu'ils s'accordaient tous pour pleurer la mort du volatile, ils n'avaient aucun scrupule à tuer les fleurs en les arrachant. « Quelles jolies fleurs... Le petit oiseau sera ravi », disaient-ils. Scène grotesque à mes yeux.

On creusa une tombe dans une zone fermée au public, qu'on marqua à l'aide d'un bâtonnet d'esquimau trouvé dans une poubelle, et on la recouvrit des cadavres de fleurs.

— Regarde, Keiko, comme c'est triste. Le pauvre..., ne cessait de me répéter ma mère.

J'avais beau l'écouter, je n'étais pas du tout de cet avis.

Ce n'est pas la seule anecdote de cet acabit. Un jour, peu de temps après mon entrée en primaire, pendant l'heure de sport, deux garçons commencèrent à se bagarrer.

— Appelez le maître !

— Arrêtez-les !

Bon, je vais m'en charger, pensai-je en entendant les cris. Attrapant une pelle dans le placard à outils à proximité, je courus rejoindre le lieu de la bataille pour taper sur la tête d'un des belligérants.

Sous les hurlements de la foule assemblée, le garçon porta la main à son crâne et fit volte-face. Voyant qu'il avait cessé de bouger, je m'apprêtai à frapper son adversaire afin de le neutraliser à son tour.

— Keiko-chan! Arrête! Arrête! s'écrièrent les filles en pleurant.

Les professeurs, qui avaient accouru et découvraient la scène, horrifiés, me sommèrent de m'expliquer.

— Comme il fallait les arrêter, j'ai choisi le moyen le plus rapide.

Déconcerté, un professeur me bredouilla que la violence n'était pas une solution.

— Mais tout le monde disait qu'il fallait les arrêter. Je me suis dit que c'était le moyen le plus simple de calmer Yamazaki et Aogi, expliquai-je consciencieusement.

Je ne comprenais pas pourquoi l'enseignant se fâchait. On finit par convoquer ma mère.

En voyant maman incliner la tête face au professeur et s'excuser profusément, la mine grave, je me dis bien que j'avais dû faire quelque chose de mal. Mais quoi? Je n'en avais pas la moindre idée.

Un autre jour, dans la classe, la maîtresse, hystérique, fit l'appel avant de se mettre à crier sur tout le monde, provoquant les pleurs des élèves qui l'imploraient — en vain — d'arrêter de les houspiller.

Devant l'inefficacité des plaintes pathétiques de mes camarades, je rejoignis l'avant de la salle pour baisser sa jupe et sa culotte. La jeune institutrice laissa échapper un cri de surprise avant de se calmer.

L'enseignant de la classe voisine accourut. Interrogée sur les raisons de mon acte, j'expliquai que j'avais vu à la télé que, lorsqu'une femme se déshabillait, le silence se faisait instantanément. On me convoqua de nouveau dans le bureau de la directrice.

— Pourquoi ne peux-tu pas comprendre, Keiko..., me réprimanda ma mère d'un ton las sur le chemin du retour.

Là encore, je me doutais que j'avais fait quelque chose de mal, sans saisir quoi au juste.

Mon père comme ma mère me chérissaient, en dépit de leur confusion. Je ne voulais pas les attrister, ni les obliger à demander sans cesse pardon. Je résolus donc de parler le moins possible hors de la maison. Que j'imite les autres ou me plie à leurs directives, j'abandonnai toute initiative personnelle.

Les adultes semblèrent soulagés de voir que je ne prononçais plus un mot superflu, que je n'agissais plus sur des coups de tête.

Arrivée au lycée, mon mutisme commença

à poser problème. À mes yeux, pourtant, il n'y avait pas meilleur moyen de réussir dans la vie que de me taire. « Faites-vous des amis, sortez un peu ! » m'enjoignaient mes bulletins scolaires. Je m'obstinais néanmoins à ne parler que lorsqu'on m'interrogeait.

De deux ans ma cadette, ma sœur était, elle, une enfant « normale ». Ce qui ne l'empêchait pas de m'apprécier et de rester proche de moi. « Pourquoi te mets-tu en colère ? » demandais-je à notre mère lorsqu'elle la grondait pour des bêtises ordinaires, pour lesquelles elle ne me disait rien. Une fois le sermon terminé, ma sœur me remerciait, pensant peut-être que j'avais plaidé sa cause. Comme je n'avais pas la dent sucrée, je lui donnais souvent mes bonbons et gâteaux. Si bien qu'elle me collait toujours au train.

Mes parents tenaient tant à moi qu'ils passaient leur temps à se faire du souci. « Que faire pour la guérir ? » se demandaient-ils souvent. Je me souviens de m'être dit, en les entendant, qu'il fallait que je me corrige. Mon père alla jusqu'à me conduire en voiture dans une ville lointaine pour consulter un spécialiste. Je crus tout d'abord à quelque problème familial. Mais entre cet employé de banque sérieux et taciturne et son épouse, gentille bien que de nature fragile, ma sœur et moi ne manquions pas d'affection. Finalement, ils décidèrent de veiller sur moi avec amour, quoi qu'il arrive, et me donnèrent une éducation douce et attentive.

À l'école, je n'arrivais pas à me faire d'amis, mais je n'étais pas non plus victime de brimades. Tant que je parvenais à garder pour moi mes remarques excentriques, primaire et collège se déroulèrent sans encombre.

Arrivée à la fin du lycée, je n'avais pas changé de stratégie. Je passais la plupart des récréations seule et n'entretenais que rarement des conversations privées. Si je n'attirais plus l'attention comme en primaire, mes parents s'inquiétaient néanmoins de ma capacité à évoluer en société. J'approchais rapidement de l'âge adulte, sans avoir « guéri » pour autant.

J'étais en première année de fac lorsque SmileMart a ouvert sa boutique devant la gare de Hiirochô, le 1er mai 1998.

Je me souviens très bien du jour où j'ai découvert ce magasin, en amont de son inauguration. Je venais d'être admise à l'université, dont j'étais allée repérer les environs en solitaire. Sur le retour, me trompant de chemin, je m'étais perdue au milieu d'un quartier de bureaux que je n'avais encore jamais vu.

Il n'y avait pas un chat. La zone, hérissée de buildings blancs immaculés, avait des allures de maquette en papier.

Un monde d'immeubles. Une vraie ville fantôme. Pas âme qui vive, à part la mienne, en ce dimanche midi.

Il me semblait avoir atterri dans une réalité parallèle. Je pressai le pas, en quête d'une station de transport. Alors que s'esquissait enfin la direction du métro, je me retrouvai nez à nez avec un bâtiment d'un étage, aussi éclatant qu'un aquarium.

OUVERTURE DE VOTRE SMILEMART FACE À LA GARE DE HIIROCHÔ ! PERSONNEL RECHERCHÉ ! annonçait une affiche placardée sur la façade vitrée, sans autre pancarte ni indication. À l'intérieur, nulle trace d'activité. Certains pans de mur étaient encore bâchés, comme si les travaux n'étaient pas terminés, et les étagères blanches demeuraient vides. Je n'arrivais pas à croire qu'un endroit aussi dénué de tout puisse se muer en commerce de proximité.

J'avais envie d'un petit boulot, même si je recevais assez d'argent de poche de mes parents. Je rentrai à la maison, non sans avoir mémorisé le numéro inscrit sur l'affiche pour l'appeler dès le lendemain. On m'embaucha aussitôt, à l'issue d'un simple entretien.

La formation démarrait la semaine suivante. À l'heure dite, je me rendis au magasin, qui ressemblait déjà un peu plus à un *konbini* : mouchoirs et articles de papeterie garnissaient à présent les étagères.

À l'intérieur étaient rassemblés les autres employés à temps partiel : des étudiantes, des *freeters*[1], des ménagères à peine plus âgées que moi. En tout, c'étaient une quinzaine de personnes, d'âges et de styles vestimentaires divers, qui erraient, mal à l'aise, dans la boutique.

L'employé en charge de la formation arriva enfin et nous distribua nos uniformes. Nous ajustâmes nos tenues conformément à l'affiche de démonstration. Cheveux longs attachés, montres et accessoires remisés au placard, notre groupe jusque-là hétéroclite formait à présent une équipe d'employés standardisés.

Le premier exercice concernait les salutations. Un à un, alignés, on nous fit répéter « Bienvenue chez SmileMart ! », le dos bien droit et les coins des lèvres recourbés comme sur l'affiche. « Encore une fois ! » ordonnait le coach lorsque nos voix se faisaient trop faibles ou nos expressions trop gauches.

— Okamoto, souriez franchement ! Sasaki, je ne vous entends pas ! Encore une fois ! C'est bien, Furukura, très bien ! Continuez comme ça, avec entrain !

Je m'enorgueillissais de reproduire avec exactitude les exemples du coach et de la vidéo de présentation visionnée dans l'arrière-boutique.

---

1. Terme japonais désignant les jeunes gens sans emploi ou travaillant à temps partiel, à l'exception des femmes au foyer et des étudiants.

Jusque-là, personne ne m'avait jamais enseigné ces attitudes.

Nous passâmes les deux semaines qui nous séparaient de l'ouverture en groupes de deux, à répéter des transactions avec une clientèle fictive. Il fallait saluer l'« acheteur » avec le sourire en le regardant dans les yeux, emballer les produits d'hygiène dans des sacs en papier, séparer le chaud du froid, se désinfecter les mains à l'alcool avant de servir des plats préparés. Si l'argent placé dans la caisse pour rendre la monnaie était réel, les reçus, eux, portaient un sceau *training* et nos interlocuteurs n'étaient que des collègues vêtus du même uniforme. Il ne s'agissait bien sûr que d'un jeu de rôle.

C'était amusant de voir tous ces étudiants, musiciens, freeters, ménagères et autres élèves des cours du soir revêtir l'uniforme pour se transformer en employés. La journée de formation terminée, chacun ôtait sa tenue pour retrouver sa situation d'origine. C'était comme un changement de peau.

Après ces deux semaines de formation arriva enfin l'inauguration. Le jour J, je me rendis au magasin dès le matin. Les étagères blanches, naguère vides, débordaient à présent d'articles, si impeccablement alignés qu'ils en paraissaient presque artificiels.

Cette fois, c'est pour de vrai, me dis-je à l'ouverture des portes. Fini les clients fictifs de la formation ;

place aux vrais acheteurs. Comme nous nous trouvions dans un quartier de bureaux, je m'attendais à voir surtout des salariés en costume et autres uniformes, mais la première vague d'arrivants était composée d'habitants du voisinage munis de tracts promotionnels distribués en amont par le personnel. En tête venaient les dames âgées, toute canne dehors, puis une masse de clients armés de coupons de réduction sur les onigiri et les bentô, et ainsi de suite. Je contemplai le spectacle avec fascination.

— Furukura, je ne vous entends pas !

La protestation de mon collègue me tira de ma transe.

— Bienvenue chez SmileMart ! Profitez de notre promotion d'ouverture !

Nos harangues résonnaient différemment dans le magasin à présent peuplé de visiteurs.

Je ne me doutais pas que les « clients » pouvaient produire de tels sons : échos de pas, éclats de voix, froissements de paquets de bonbons, ouvertures de réfrigérateurs à boissons fraîches. Submergée par la cacophonie, je répétais sans faiblir ma litanie.

En un clin d'œil, les mains des « clients » plongèrent dans la montagne d'aliments et de confiseries à la perfection surnaturelle. Peu à peu, elles donnèrent vie à cette boutique factice.

La première personne à avoir mis le pied dans le magasin — une dame âgée, d'allure distinguée — fut aussi la première à passer en caisse.

Debout derrière le comptoir, je ruminais les consignes du manuel. La dame déposa son panier : chou à la crème, sandwich et quelques onigiri.

De l'autre côté du meuble, les employés dressèrent l'échine, au garde-à-vous devant cette pionnière. Sous les regards de mes collègues, je lui adressai la salutation apprise pendant la formation.

— Bienvenue chez SmileMart ! lançai-je, imitant à la perfection l'intonation de la jeune femme sur la vidéo de présentation.

Réceptionnant le panier, je commençai à scanner les articles. À mes côtés, un employé plus expérimenté s'empressa d'ensacher les articles.

— À quelle heure ouvrez-vous le matin ? demanda la dame.

— Aujourd'hui, nous avons ouvert à dix heures. Mais à partir de maintenant nous restons ouverts en permanence ! répondis-je maladroitement.

Mon aîné prit aussitôt la suite.

— Nous sommes ouverts 24 heures sur 24, toute l'année sans interruption. N'hésitez pas à passer à tout moment !

— Oh, même à minuit ? Ou au petit matin ?

J'acquiesçai.

— Comme c'est commode. Voyez-vous, c'est

que j'ai du mal à marcher, à cause de mon dos. Le supermarché est loin, ce n'est pas pratique..., me dit la cliente avec un rire.

— Nous sommes ouverts 24 heures sur 24, toute l'année sans interruption. N'hésitez pas à passer à tout moment! répondis-je, répétant mot pour mot le discours de mon collègue.

— Formidable. Bon courage, mademoiselle!

— Merci beaucoup!

Imitant mon aîné, je m'inclinai avec énergie.

— Merci, je reviendrai! déclara la cliente avec un sourire avant de s'éloigner de la caisse.

— Bravo, Furukura, c'était parfait! décréta le collègue aux sacs. Vous n'avez pas paniqué, alors que c'était votre première caisse! Continuez comme ça, surtout! Client suivant!

Devançant son appel, un panier approchait déjà, rempli d'onigiri en promotion.

— Bienvenue chez SmileMart! lançai-je sur le même ton en acceptant le chargement.

En cet instant, pour la première fois, il me sembla avoir trouvé ma place dans la mécanique du monde. *Enfin, je suis née*, songeai-je. C'était, à n'en pas douter, le premier jour de ma vie en tant que membre normal de la société.

Il m'arrive parfois de prendre ma calculatrice pour évaluer le temps écoulé depuis ce moment. Pas un jour les lumières du SmileMart de la gare de Hiirochô n'ont cessé de briller.

Récemment, le magasin fêtait ses dix-huit ans. 157 800 heures avaient passé depuis l'ouverture. À trente-six ans, je célébrais moi aussi mon dix-huitième anniversaire en tant qu'employée de la boutique. De mes collègues de formation, un seul est encore là. Huit gérants se sont succédé. Il ne reste plus le moindre article mis en vente le premier jour. Mais je continue d'y travailler, imperturbablement.

Mes parents s'étaient réjouis en apprenant que je commençais ce petit boulot.

Lorsque, mes études terminées, je leur avais annoncé que j'allais continuer d'y travailler, ils m'avaient soutenue, heureux de voir combien j'avais changé grâce à cet emploi.

De quatre jours par semaine (samedi et dimanche inclus) en première année de fac, je suis passée à cinq jours hebdomadaires. Sitôt le travail terminé, je rentre à la maison, déploie mon futon sur le sol de ma petite chambre de dix mètres carrés, et m'allonge pour dormir.

Une fois entrée à l'université, j'avais trouvé une chambre à louer pas cher et quitté le domicile familial.

Voyant que je m'obstinais à travailler au konbini sans même chercher d'emploi digne de ce nom, ma famille avait commencé à s'inquiéter, mais il était déjà trop tard.

Pourquoi devrais-je quitter la supérette et chercher un poste ordinaire ? Cela me dépassait.

Après tout, sortie de mon manuel de l'employé dont j'appliquais à la perfection les directives, je n'avais pas la moindre idée de la façon dont fonctionnait une personne normale.

Mes parents étaient aux petits soins avec moi. Alors que j'atteignais la vingtaine, ils tentèrent de me convaincre de chercher un emploi. Mais les rares fois où mon dossier aboutissait à un entretien d'embauche, j'étais bien en peine d'expliquer pourquoi je restais depuis si longtemps cantonnée à ce petit boulot.

À force d'y passer mes journées, il m'arrive souvent de rêver que je tiens la caisse du konbini. « Ah, on n'a pas encore étiqueté le nouvel arrivage de chips », ou « On a vendu beaucoup de thé, il va falloir disposer le réassort », me dis-je alors avant d'ouvrir les yeux. Il m'arrive même de me réveiller en pleine nuit, au son de ma propre voix : « Bienvenue chez SmileMart ! »

Les soirs où je ne parviens pas à m'endormir, je pense à cette bulle de verre qui bourdonne de vie quelle que soit l'heure. À l'intérieur de l'aquarium stérile s'activent les employés, comme par automatisme. L'esprit empli de ce spectacle, les tympans bercés par le chant du konbini, je m'endors enfin, rassérénée.

Le matin venu, je retrouve ma casquette d'employée et ma place dans le mécanisme du monde. Alors, seulement, je fonctionne comme une personne normale.

À 8 heures, j'ouvre la porte du SmileMart de la gare de Hiirochô.

Mon service ne commence qu'à 9 heures ; si j'arrive plus tôt, c'est pour petit-déjeuner dans l'arrière-boutique. Une fois sur place, je prends une bouteille d'eau minérale de deux litres, choisis un petit pain ou un sandwich parmi les invendus, et m'installe pour manger.

La réserve dispose d'un grand écran sur lequel sont diffusées les images des caméras de surveillance. L'œil rivé sur Dat, le nouvel employé de nuit vietnamien qui tient la caisse comme si sa vie en dépendait, et sur le gérant qui fait les cent pas en l'épiant, j'engloutis ma pitance, déjà en uniforme afin de pouvoir courir leur donner un coup de main si nécessaire.

À midi, je profite de ma pause pour manger des onigiri ou des plats préparés, et le soir, lorsque je suis fatiguée, il m'arrive souvent d'acheter quelque chose dans la boutique avant de rentrer. Je bois la moitié de mon eau en travaillant ; mon service terminé, je place ma bouteille dans un sac en tissu pour la rapporter chez moi, où je continue de la boire au fil de la soirée. Mon organisme ainsi alimenté par les denrées de la supérette, il me semble faire partie des meubles, au même titre que les étagères de produits ou la machine à café.

Mon repas fini, je consulte la météo et le registre du magasin. Les prévisions météorologiques constituent des informations précieuses pour une supérette. L'écart avec hier est important; aujourd'hui, la maximale sera de 21 °C, la minimale de 14. Temps couvert, avec des ondées en soirée. La température ressentie sera sans doute plus basse que celle indiquée.

Quand il fait chaud, on vend plus de sandwiches; par temps froid, ce sont les onigiri, les brioches à la vapeur chinoises et les petits pains qui emportent l'adhésion. Il en va de même pour les plats préparés et vendus au comptoir : quand il fait frais, les croquettes frites ont du succès. Il va falloir en préparer beaucoup aujourd'hui — d'autant qu'elles sont en promotion.

Alors que je réfléchis à tout cela, mes collègues de service arrivent les uns après les autres.

Peu après 8 h 30, la porte s'ouvre et une voix rauque retentit.

— Bonjour!

C'est Mme Izumi, la responsable des temps partiels — une femme au foyer de trente-sept ans, un peu stricte, mais qui ne ménage pas ses efforts. Les petits boulots étant généralement le terrain des lycéens et autres freeters, il est rare pour moi d'avoir des collègues de mon âge.

Vêtue dans un style tapageur, Mme Izumi troque ses talons pour des baskets devant le vestiaire.

— Vous êtes encore arrivée tôt, mademoiselle Furukura! Ah, je vois que vous mangez un invendu. Qu'est-ce que ça donne? demande-t-elle en avisant le petit pain mangue-chocolat que je tiens à la main.

— La crème a un drôle de goût et elle sent fort. Ce n'est pas très bon!

— Vraiment? C'est ennuyeux, le gérant en a commandé cent pièces... Tant pis, il faut quand même essayer de liquider le tout.

— Entendu!

Mme Izumi attache ses cheveux décolorés, enfile une chemise blanche par-dessus son haut en jersey marine et noue sa cravate bleu clair. Chemise et cravate ne faisaient pas partie de l'uniforme réglementaire les premières années; elles ont été imposées lors du dernier changement de direction.

Tandis qu'elle ajuste sa tenue devant le miroir, un nouveau « Bonjour! » retentit : Mlle Sugehara est arrivée.

Âgée de vingt-quatre ans, elle a le caractère enjoué et la voix forte. Elle aussi travaille à temps partiel. J'ai cru comprendre qu'elle chantait dans un groupe, et elle se lamente souvent de ne pouvoir teindre en rouge ses cheveux, qu'elle porte très courts. Son physique un peu replet n'est pas dénué de charme; mais comme elle avait souvent tendance à être en retard et qu'elle s'obstinait à garder ses piercings au travail, elle se faisait souvent réprimander par le gérant. Grâce à l'intervention d'Izumi et à ses conseils avisés, elle s'est ressaisie et fait à présent partie des employés les plus sérieux.

Mes autres collègues de service sont un grand étudiant dégingandé, Iwaki, et un freeter qui va bientôt commencer à chercher un vrai travail, Yukishita. Comme Iwaki a dû réduire ses jours de présence afin de prospecter lui aussi, le gérant va devoir abandonner le service de nuit, ou au moins engager un nouvel employé en journée.

Si j'ai pu autant évoluer en tant qu'individu, c'est grâce à l'influence des personnes qui m'entourent. 30 % pour Izumi, 30 % pour Sugehara et 20 % pour le gérant, sachant que le reste se répartit entre Mlle Sasaki, arrivée il y a six mois, M. Okasaki, notre chef jusqu'à l'année dernière, et tous les autres qui ont travaillé ici par le passé.

Tout ce qui concerne la façon de parler, en particulier, je l'apprends par imitation. Mon langage actuel est un mélange d'Izumi et de Sugehara.

N'est-ce pas ainsi que fonctionne tout le monde ? Je me souviens avoir vu le groupe de Sugehara passer au magasin de temps en temps ; les filles s'habillaient et parlaient comme elle. Et depuis que Sasaki a commencé à travailler avec Izumi, elle reproduit ses salutations. Quant à l'ancienne collègue d'Izumi qui est venue nous donner un coup de main en magasin, elle arborait un style tellement similaire qu'on aurait pu les confondre. Nul doute qu'à mon tour j'influence aussi la façon de parler de quelqu'un d'autre. C'est en nous imprégnant ainsi les uns des autres que nous préservons notre humanité.

Les tenues d'Izumi, bien qu'un peu criardes, semblent typiques des femmes de son âge, aussi ai-je pris l'habitude de consulter les marques inscrites dans ses chaussures et sur les étiquettes des manteaux qu'elle range dans le placard. Une fois, seulement, je me suis permis de jeter un œil dans son sac afin de noter quels cosmétiques elle utilisait. Bien sûr, si je copiais ses choix, je serais tout de suite démasquée. J'ai donc décidé de faire des recherches sur les marques en question et de consulter les blogs de personnes qui arborent un style similaire, pour voir où elles font leurs courses et porter des vêtements d'autres marques qu'elles mentionnent. Car quand je vois les tenues d'Izumi, ses accessoires et ses coiffures, il me semble être face au style adéquat pour une trentenaire.

Soudain, Izumi pose les yeux sur mes ballerines.

— Ah, elles viennent de la boutique sur l'avenue Omotesandô, n'est-ce pas ? Moi aussi, j'aime beaucoup leurs modèles... J'y ai acheté des bottes ! déclare-t-elle d'une voix un peu traînante.

Je me suis procuré les chaussures en question dans cette fameuse boutique après en avoir relevé le nom sur celles d'Izumi pendant qu'elle était aux toilettes.

— Vraiment? Laissez-moi deviner... ce sont les bleu foncé? Je me souviens de vous avoir vue avec, elles sont charmantes! dis-je.

J'emprunte quelques intonations à Sugehara, en leur insufflant un soupçon de maturité. Elle s'exprime dans un staccato enjoué. C'est l'antithèse d'Izumi, mais étrangement, lorsqu'on mélange les deux, le résultat est parfait.

— On a vraiment des goûts similaires, vous et moi. J'adore votre sac! s'esclaffe Izumi.

Ce n'est pas un hasard, puisque je m'inspire de son look. Vue de l'extérieur, j'ai tout de l'humain normal, portant un sac à la mode et s'exprimant selon les règles de la politesse et de la bienséance.

— Est-ce que vous étiez là hier, madame Izumi? Le stock de ramen est en désordre! s'exclame Sugehara tout en se changeant près du placard.

Izumi fait volte-face.

— J'étais là, oui. Tout était en ordre... mais la collègue de nuit s'est encore absentée sans autorisation. Du coup, c'est le nouveau, Dat, qui s'en est occupé.

Sugehara, qui nous a rejointes devant le miroir pour vérifier sa tenue, secoue la tête.

— Elle s'est encore défilée? Alors qu'on est déjà en sous-effectif? Incroyable! Pas étonnant que le magasin soit sens dessus dessous. Les plats à emporter ne sont même pas sortis alors que ça va bientôt être le pic matinal !

— Oh oui, c'est vraiment n'importe quoi. Je parie que le gérant va devoir couvrir les services de nuit à partir de cette semaine. Vu qu'il n'y a que le nouveau.

— Alors même qu'Iwaki a dû lâcher le service de jour pour chercher un emploi ! Quel casse-tête ! Si la gamine du service de nuit quitte sans prévenir, c'est encore nous, les temps partiels, qui allons en subir les conséquences !

Je les écoute échanger leurs griefs, gagnée par l'impatience. J'éprouve rarement de la colère ; je me contente de trouver le manque de personnel ennuyeux. Jetant un regard furtif à Sugehara, je tente de copier son expression faciale, comme lors de la formation.

— Hein, elle s'est encore défilée ? Alors qu'on est déjà en sous-effectif ? Incroyable ! dis-je en reprenant ses mots.

Izumi s'esclaffe tout en ôtant sa montre et ses bagues.

— Attention, Furukura est en pétard ! Vous avez raison, c'est ahurissant !

Quand j'ai commencé ce petit boulot, j'ai très tôt remarqué que les employés éprouvaient un certain plaisir à se trouver des frustrations communes, qu'il s'agisse des colères du gérant ou de l'absentéisme des collègues de nuit.

L'insatisfaction générale fait naître une curieuse solidarité. Tout le monde se réjouit de mon coup de sang.

Ah, j'ai bien joué mon rôle d'« humain », me dis-je en observant les réactions de mes deux camarades. Combien de fois ai-je éprouvé ce même soulagement entre les murs de la supérette !

Izumi consulte sa montre.

— Bon. On commence le briefing ?

— D'accord !

Nous nous mettons en rang pour commencer l'assemblée matinale. Izumi ouvre le cahier de correspondance pour nous communiquer les objectifs et problématiques du jour.

— On a encore reçu un arrivage de pains mangue-chocolat aujourd'hui. Répétons les salutations. Puis on reviendra sur la propreté. Si chargée que soit la mi-journée, nous devons nettoyer avec soin le sol, les vitres et l'entrée. Mais trêve de paroles inutiles, le temps nous est compté. Toutes en chœur, répétons les formules de politesse. *Bienvenue chez SmileMart !*

— Bienvenue chez SmileMart !

— *Veuillez m'excuser pour l'attente !*

— Veuillez m'excuser pour l'attente !

— *Merci de votre achat !*

— Merci de votre achat !

Après avoir répété les formules et vérifié nos postures, nous sortons une à une de la remise avec un ultime *Bienvenue!* Je suis la dernière à franchir la porte.

— Bonjour, bienvenue chez SmileMart!

J'adore ce moment. Cet instant où le « matin » semble se mettre en branle.

La cloche qui souligne l'arrivée de chaque client résonne comme le carillon d'une église. De l'autre côté de la porte, l'aquarium de verre m'attend. Un monde parfait, stable, qui continue de tourner, imperturbable. J'ai foi en ce microcosme baigné de lumière.

Je profite parfois de mon congé du vendredi pour retrouver mes amies mariées qui sont retournées vivre à la campagne.

Si j'étais plutôt isolée au lycée en raison de mon mutisme, les choses ont changé depuis que j'ai commencé à travailler à la supérette et à fréquenter les réunions d'anciens camarades de classe.

« Oh, Keiko, ça fait un bail! Tu as complètement changé de style! » s'était exclamée Miho lors de nos retrouvailles, avant de discuter couleur de sac à main et *oh si on allait faire du shopping ensemble un de ces quatre* et de me donner son adresse mail. Depuis, on se voit régulièrement pour déjeuner ou faire les magasins.

Miho et son mari ont acheté une maison japonaise traditionnelle, où elle rassemble souvent ses amies. Il m'arrive d'avoir la flemme d'y aller en pensant au travail qui m'attend le lendemain, mais comme ces réunions constituent mon seul lien avec le monde extérieur à la supérette, et me permettent des précieux échanges avec des « trentenaires normales », je mets un point d'honneur à accepter ses invitations. Cette semaine, nous nous retrouvons chez elle pour prendre le thé avec Yukari, qui a amené sa petite fille, et Satsuki, qui est mariée mais n'a pas encore d'enfant.

Yukari a dû déménager un temps à cause du travail de son mari, si bien que ça fait un moment que nous ne l'avons pas vue. Elle n'arrête pas de répéter combien on lui a manqué, provoquant nos rires tandis que nous dégustons un gâteau acheté au centre commercial face à la gare.

— Vraiment, on n'est bien que chez soi. La dernière fois que je t'ai vue, Keiko, c'était aux alentours de mon mariage...

— Tout juste. À l'époque, on était venues au barbecue pour te féliciter. Que de souvenirs ! dis-je en mélangeant les intonations de mes collègues de travail.

— Je te trouve changée, constate Yukari d'une voix pleine d'émotion. Tu parlais de façon plus naturelle avant... Et je ne sais pas si c'est ta coiffure, mais tu dégages quelque chose de différent.

— Tu trouves ? Comme on se voit souvent, je

n'ai pas remarqué de changement particulier..., déclare Miho avec un hochement de tête.

Elle a raison : c'est le monde dont je m'imprègne qui a changé. Il ne reste presque plus rien de l'eau qui irriguait mon organisme à l'époque où j'ai fait leur connaissance, remplacée par un autre liquide, qui a altéré mon développement.

Dans le temps, nombreux étaient les lycéens insouciants qui occupaient des petits boulots et s'exprimaient d'une façon totalement différente.

— Tu as raison, j'ai dû changer..., m'esclaffé-je, sans plus d'explication. Mes vêtements, peut-être ? Je m'habillais plus simplement avant.

— Ah, ça doit être ça. Ta jupe vient de la boutique sur Omotesandô, non ? J'ai essayé le même modèle dans une autre couleur ! Elle est très jolie.

— Oui, dernièrement je ne m'habille plus que chez eux.

Nouveau style, nouvelle prosodie... Qui donc est cette personne avec qui parlent mes amies ? Et pourtant, Yukari ne cesse de répéter combien je lui ai manqué.

Est-ce parce qu'elles se voient souvent dans leur province ? Miho et Satsuki, elles, s'expriment exactement de la même façon. Même lorsqu'elles mangent, elles se ressemblent, cassant leurs biscuits en petits morceaux de leurs doigts ornés de faux ongles avant de les fourrer dans leur bouche. Ont-elles toujours fait ainsi ? Mes souvenirs sont flous. Peut-être les habitudes et manies de leur jeunesse ont-elles déjà disparu depuis longtemps.

— Que diriez-vous d'inviter plus de monde la prochaine fois ? Maintenant que Yukari est enfin rentrée au pays, on pourrait appeler Shiho...

— Oh oui, bonne idée !

La proposition de Miho rencontre l'unanimité.

— Amenez aussi vos maris et vos enfants, on refera un barbecue !

— Oh, j'ai hâte ! J'espère que les petits s'entendront bien.

— Ça doit être sympa..., dit Satsuki d'un air envieux.

— Et toi, toujours pas de projet de ce côté ? lui demande Yukari.

— Si, j'aimerais bien... Je m'en remets à la nature. J'espère bientôt être enceinte.

— Oui, oui, c'est pile le bon moment ! approuve Miho.

Satsuki contemple la fillette de Miho qui dort à poings fermés. Il me semble que leurs utérus entrent en résonance.

Soudain, Yukari se tourne vers moi avec un hochement de tête.

— Et toi, Keiko, toujours pas mariée ?

— Non.

— Ne me dis pas que tu bosses toujours au konbini ?

Je réfléchis un instant. Je sais qu'il est anormal, pour une personne de mon âge, de ne pas être mariée ni d'avoir d'emploi stable; ma petite sœur me l'a bien expliqué. Je décide néanmoins de me montrer honnête : Miho et Satsuki connaissent la vérité, de toute façon.

— Si, tout juste.

Ma réponse semble dérouter Yukari.

— Comme j'ai une santé fragile, je reste à temps partiel, m'empressé-je de lui rappeler.

C'est une justification que j'ai adoptée à l'attention de mes anciennes camarades de classe. À mes collègues de la supérette, je raconte que mes parents, souffrants, requièrent des soins constants. C'est ma petite sœur qui a mis au point ces prétextes.

Les freeters ne sont pas rares parmi les jeunes, si bien que je n'avais pas besoin de m'expliquer à cet âge-là. Mais avec le temps, je suis devenue la seule du groupe à n'être ni mariée ni salariée.

J'ai beau prétendre avoir une santé fragile, je passe mes journées à travailler de longues heures debout. Tout le monde doit trouver cela étrange.

— Je peux te poser une question indiscrète, Keiko? Est-ce que tu as déjà connu l'amour? me demande Satsuki sur le ton de la plaisanterie.

— Que veux-tu dire?

— Si tu es déjà sortie avec quelqu'un... Parce que si c'est le cas, tu ne nous en as jamais parlé.

— Ah... jamais, non.

Ma réponse — honnête, par réflexe — jette un froid. Elles échangent des regards gênés. Ah, je vois, j'aurais dû faire une réponse plus ambiguë, du genre « Oui, j'ai eu des histoires sympas, mais je suis très mauvais juge de caractère », en leur faisant croire que, certes, je n'avais pas eu de relation stable, mais que j'avais eu des rapports charnels, quelque chose de compliqué, une liaison adultère par exemple. Ma petite sœur me l'avait pourtant bien dit : *pour les questions d'ordre privé, reste évasive, et ton interlocuteur interprétera tes propos à sa convenance.* J'ai raté mon coup.

— Tu sais, j'ai pas mal d'amis homosexuels, je comprends tout à fait. Et maintenant il y a aussi... comment dit-on... des asexuels ? hasarde Miho, comme pour tâter le terrain.

— C'est vrai, il y en a de plus en plus. Des jeunes gens qui ne s'intéressent pas à la chose.

— J'ai vu à la télé que ça restait difficile pour eux de faire leur *coming-out*...

Dépourvue d'expérience, je n'ai pas particulièrement conscience de ma sexualité. Disons que ça ne m'a jamais vraiment intéressée, et que ça ne m'a jamais préoccupée non plus. Ce qui n'empêche pas les autres de déblatérer, en s'imaginant que ça me travaille. Et quand bien même ce serait le cas, on ne peut pas dire que j'en souffre, mais ça, personne ne peut l'imaginer.

C'est sans doute plus commode pour elles de se monter le bourrichon.

Quand, enfant, j'avais assommé mes camarades à coups de pelle, les adultes avaient décrété, sans raison préalable, que j'avais dû agir ainsi à cause de « problèmes familiaux » et avaient fait porter la responsabilité à mes parents. Là encore, cela arrangeait tout le monde de m'étiqueter « enfant maltraitée » et de me pousser à la confession.

Quel casse-tête. Pourquoi les gens ont-ils toujours besoin de se rassurer ainsi ?

— Oui, mais je te rappelle que je suis de constitution fragile ! répété-je, m'en tenant à cette excuse universelle fournie par ma sœur.

— Je vois, bien sûr, avec ta maladie, ça ne doit pas faciliter les choses...

— Mais depuis le temps que ça dure... tu es sûre que ça va ?

Je me languis de mon konbini. Là-bas, tout est plus simple, rien ne compte hormis notre position dans l'équipe. Peu importent le sexe, l'âge ou les origines, tous sont des employés, égaux, vêtus du même uniforme.

Je consulte ma montre : 15 heures. Bientôt, les comptes terminés et la recette envoyée à la banque, il sera temps de décharger les petits pains et les bentô du camion pour les disposer en rayon.

Même à distance, je reste reliée à la supérette.

Même à distance, je tapote silencieusement mes genoux de mes doigts aux ongles coupés court pour faciliter la frappe au clavier de la caisse, l'esprit empli des mille petits événements qui animent la boutique inondée de lumière du SmileMart de Hiirochô.

Le matin, lorsque je me réveille en avance, je descends parfois du métro une station plus tôt pour marcher jusqu'au magasin. Sur le chemin, les habitations et les restaurants disparaissent peu à peu pour laisser la place aux immeubles de bureaux.

J'aime cette sensation que le monde s'éteint progressivement. Le paysage n'a pas changé depuis le jour où je me suis perdue et où j'ai trouvé par hasard le magasin. Aux premières heures, il n'y a pas âme qui vive, à l'exception des silhouettes encostumées de *salarymen* pressés.

Même perdue au milieu d'un quartier d'affaires, la supérette reçoit surtout une clientèle de riverains, dont je me demande toujours où ils peuvent bien habiter. Je les imagine en train de dormir quelque part, dans un recoin de cette carapace vide que je traverse à pied.

À la tombée de la nuit, le paysage change, illuminé par les éclairages géométriques des buildings. C'est une lumière impersonnelle, uniforme. Rien à voir avec le quartier où je réside.

Mes promenades aux alentours de la supérette

sont une mine d'informations précieuses pour l'employée que je suis. Si un restaurant proche se met à commercialiser des plats à emporter, cela aura un effet sur nos ventes ; si un nouveau chantier s'ouvre, cela fera plus d'acheteurs pour nous. Le SmileMart a traversé une période difficile dans sa quatrième année, lorsqu'un concurrent voisin a fait faillite : la clientèle s'est précipitée chez nous, c'était le rush permanent. Nos stocks de bentô ne suffisaient pas à couvrir la demande, et les responsables de la firme ont mis les manquements sur le dos du gérant. C'est pour éviter que ce genre de désastre ne se reproduise que je parcours ainsi le quartier, aux aguets.

Pas de changement notable ce matin, si ce n'est l'apparition d'un bâtiment neuf qui pourrait bien nous apporter de nouveaux clients. L'information enregistrée dans ma tête, je rejoins le magasin, achète un sandwich et un thé, et pénètre dans l'arrière-boutique. Aujourd'hui encore, le gérant a travaillé toute la nuit et continue d'entrer des chiffres dans l'ordinateur, le dos recourbé et trempé de sueur.

— Bonjour !

— Ah, bonjour, Furukura. Vous êtes encore en avance !

Le gérant est un trentenaire en perpétuelle ébullition, qui parle mal mais travaille dur. C'est notre huitième manager.

Le deuxième gérant était un tire-au-flanc, le quatrième aimait sincèrement faire le ménage; quant au sixième, il détestait les personnes excentriques et a poussé toute l'équipe de nuit à démissionner d'un coup. À l'inverse, l'actuel gérant est apprécié de tous les travailleurs à temps partiel et montre l'exemple en mettant du cœur à l'ouvrage. Son prédécesseur direct, un peu trop coulant, négligeait le service de nuit, si bien que sous sa houlette la boutique a pris l'eau. Alors je préfère le nouveau : il nous facilite le travail, même s'il n'est pas toujours courtois.

Le magasin n'a pas bougé en dix-huit ans, en dépit des changements de direction. Même si chaque employé est différent, il m'arrive d'avoir l'impression qu'à nous tous, nous formons comme un organisme vivant.

Le huitième manager parle d'une voix forte, qui résonne dans l'arrière-boutique.

— Ah, le nouveau, Shiraha, commence aujourd'hui! Comme il a suivi la formation le soir, c'est son premier service de jour. Je compte sur vous pour l'aider!

— Entendu!

Sans cesser de tapoter le clavier de l'ordinateur, le gérant salue ma réponse énergique d'un hochement de tête.

— Votre présence me rassure, Furukura! Avec le départ définitif d'Iwaki, vous ne serez que quatre pour assurer le service de jour : vous,

Izumi, Sugehara et le nouveau. Mais je compte sur vous! De mon côté je vais me concentrer momentanément sur le service de nuit...

Son timbre de voix a beau être complètement différent, le manager a le même accent traînant qu'Izumi. Étant donné qu'il est arrivé après, peut-être a-t-il déteint sur elle et est-ce à force de l'entendre qu'Izumi s'est mise à allonger ses fins de mots. J'esquisse un hochement de tête à la Sugehara tout en réfléchissant à cette question.

— Tout va bien se passer! Je me réjouis d'accueillir un nouveau collègue!

— Oui... Le recrutement reste ouvert, et j'ai demandé à la gamine du service de nuit si elle n'avait pas des amis en quête d'un petit boulot. Merci en tout cas de passer à cinq jours par semaine, Furukura, vous nous sauvez la mise!

Dans une supérette à court de main-d'œuvre, tout employé est bon à prendre, quelle que soit sa compétence. J'ai beau ne pas être aussi exemplaire qu'Izumi et Sugehara, je remplis parfaitement mon rôle dans la mécanique, avec ponctualité et assiduité.

— Excusez-moi, lance soudain une voix étouffée de l'autre côté de la porte.

— Ah, Shiraha? Entrez, entrez! Mais je vous avais dit de venir trente minutes plus tôt, non? Vous êtes en retard!

La porte s'ouvre en silence pour laisser passer un jeune homme dégingandé d'un mètre quatre-vingts environ, maigre comme un clou, qui s'avance tête baissée.

Au sommet de sa grande carcasse en fil de fer est perchée une tête équipée de lunettes à fine monture d'acier. Conformément au règlement intérieur, il porte une chemise blanche sur un pantalon noir, mais sa silhouette squelettique peine à remplir ses vêtements, qui forment des plis étranges sur son ventre.

Bien que décontenancée par l'allure de ce Shiraha qui n'a que la peau sur les os, j'incline aussitôt la tête.

— Enchantée ! Je suis Furukura, du service de jour. Bienvenue dans l'équipe !

Cette fois, mon intonation se rapproche de celle du gérant. Le nouveau venu grimace devant mon enthousiasme.

— D'accord..., répond-il d'un air ambigu.

— Allons, Shiraha, présentez-vous correctement ! La première impression est capitale. Un peu de tenue, que diable !

— D'accord... Bonjour..., marmonne Shiraha à voix basse.

— La formation est terminée, vous êtes maintenant un employé à part entière ! Je vous ai déjà montré la tenue de la caisse et les bases de la restauration rapide, mais il vous reste encore beaucoup à apprendre ! Furukura ici présente travaille dans ce magasin depuis son ouverture ! Prenez-en de la graine !

— D'accord...

— Dix-huit ans qu'elle travaille ici, dix-huit ans ! Haha, ça vous en bouche un coin, hein, Shiraha ! Il va falloir la respecter !

Shiraha fixe le gérant, incrédule. Ses yeux déjà enfoncés se rétractent encore dans leurs orbites.

Que faire pour détendre cette atmosphère déplaisante ? La porte s'ouvre à point nommé.

— Bonjour tout le monde ! lance Sugehara d'une voix joyeuse en entrant dans la pièce, un étui de guitare sur le dos, avant d'ajouter : Oh, un nouveau ! Bienvenue parmi nous !

Il me semble qu'elle s'est mise à parler plus fort depuis le dernier changement de direction. L'ambiance est un peu bizarre. En un clin d'œil, pourtant, Sugehara et Shihara ont fini de se préparer.

— Bien, je vais me charger du briefing matinal, annonce le gérant. À l'ordre du jour, il y a d'abord l'arrivée de Shiraha, qui a fini sa formation et travaille de 9 heures à 17 heures à partir d'aujourd'hui ! Surtout, ne ménagez pas votre voix, Shiraha ! Et si vous ne savez pas quelque chose, demandez à ces deux-là ! De vraies vétéranes, l'une comme l'autre. Essayez de tenir la caisse pendant le rush de la mi-journée, si possible.

— Oui, d'accord..., acquiesce le nouveau.

— Ensuite... les saucisses de Francfort sont en promo aujourd'hui, alors vendez-en plein ! Objectif : cent pièces ! Lors de la dernière promo, on est montés jusqu'à quatre-vingt-trois. Cette fois, pas de quartier! Liquidez-moi tout ça! Furukura, je compte sur vous!

— Entendu! dis-je avec entrain.

— Quoi qu'il en soit, il ne faut pas négliger l'influence de la météo! Aujourd'hui la température sera beaucoup plus élevée qu'hier, c'est idéal pour vendre des boissons fraîches, alors veillez au réassort! Et n'oubliez pas d'annoncer la promotion sur les francforts et l'arrivée des flans à la mangue!

— Oui chef! répond Sugehara d'une voix forte.

— Bien, c'est tout pour aujourd'hui. Revoyons ensemble les formules essentielles au service et la profession de foi du vendeur. Répétez après moi!

Nous reprenons en chœur les paroles que le gérant crie à tue-tête.

— *Nous jurons d'offrir au client le meilleur des services, afin qu'il choisisse et chérisse toujours notre magasin!*

— Nous jurons d'offrir au client le meilleur des services, afin qu'il choisisse et chérisse toujours notre magasin!

— *Bienvenue chez SmileMart!*

— Bienvenue chez SmileMart!

— *Veuillez m'excuser pour l'attente!*

— Veuillez m'excuser pour l'attente!

— *Merci de votre achat!*

— Merci de votre achat !

Nos trois voix se superposent. Il n'y a pas à dire : quand le manager est là, le briefing est beaucoup plus strict.

— ... on se croirait à l'église, murmure Shiraha.

C'est vrai, lui réponds-je en mon for intérieur.

Nous voilà désormais des « vendeurs », venus au monde dans le seul but de servir la supérette. Shiraha, lui, n'y est pas encore habitué, aussi s'est-il contenté d'ânonner mollement les formules.

— Fin du briefing ! Bon courage à tous !

Seules Sugehara et moi-même répondons aux exhortations du gérant.

— Si vous avez la moindre question, surtout, n'hésitez pas. Je me réjouis de travailler avec vous ! lancé-je à l'adresse du nouveau.

Il s'esclaffe.

— Des questions ? Pour un petit boulot dans une supérette ?

Il rit de plus belle, d'un rire méprisant, nasal, discordant, qui fait apparaître une bulle à l'entrée de ses narines.

Cette peau parcheminée dissimule donc assez d'humidité pour former un film de morve — qui éclate aussitôt.

— Ça n'a rien de compliqué. Je gère, ajoute-t-il à voix basse.

— Oh, se peut-il que vous ayez déjà de l'expérience ? demande Sugehara.

— Hein? Non, loin de là..., souffle-t-il.

— Allons, vous avez encore plein de choses à apprendre! déclare le gérant. Furukura, je compte sur vous pour le réapprovisionnement. Je m'en vais dormir!

— Entendu!

— Bon, je m'occupe de la caisse! annonce Sugehara avant de s'éloigner à grands pas.

J'accompagne le nouveau au rayon des plats à emporter.

— Bien, on va commencer par la restauration rapide, dis-je avec une pointe de Sugehara dans la voix. Les boissons se vendent particulièrement bien le matin, il faut donc veiller à la propreté du présentoir. Assurez-vous de vous aligner sur les cartons de prix lorsque vous réapprovisionnez les rayons! N'oubliez pas de bien saluer les clients, même lorsque vous faites le ménage; et ne les gênez pas dans leurs achats, surtout!

— Oui, oui, répond Shiraha d'un air las en commençant à disposer les plats à emporter.

— Quand vous aurez fini, faites-moi signe, je vous montrerai comment faire le ménage!

Il poursuit sa tâche sans un mot.

Je tiens la caisse un moment, le temps d'affronter le pic d'affluence matinal. Le rush passé, je retourne voir comment il s'en sort. Pas de trace de Shiraha. Les plats préparés sont alignés n'importe comment, le lait disposé à la place du jus d'orange.

Je pars à la recherche du fautif, que je trouve dans l'arrière-boutique, en train de lire le manuel d'un air blasé.

— Que se passe-t-il? Y a-t-il quelque chose que vous n'avez pas compris?

— Du tout, répond-il avec dédain en feuilletant le volume. Ils sont mal fichus, ces manuels. Il faudrait d'abord les changer, si on veut améliorer l'entreprise.

— Shiraha, je vous avais chargé de réapprovisionner les rayons. Vous n'avez pas encore fini?

— Si, j'ai terminé, réplique-t-il sans lever le nez de sa lecture.

Je me rapproche pour l'interpeller.

— Shiraha, avant de bouquiner, faites les rayons! Remplir les gondoles et saluer le client, c'est la base de la base! Si vous ne comprenez pas, je peux vous aider!

Je raccompagne la nouvelle recrue récalcitrante aux plats préparés, pour corriger leur disposition tout en expliquant ce qui ne va pas, afin de m'assurer qu'il a bien saisi.

— Voilà comment il faut faire, afin que les articles se trouvent bien en face du client! Et vous ne pouvez pas mettre les produits n'importe où. Ici, ce sont les jus de légumes, le lait va là...

— Ce n'est pas une tâche naturelle pour un mâle, marmonne-t-il. Il en va ainsi depuis l'Antiquité : les hommes partaient à la chasse tandis que les femmes récoltaient fruits et légumes et gardaient le foyer. Ce genre de corvée correspond mieux au système neurologique féminin.

— Shiraha! On n'est plus dans l'Antiquité! Homme ou femme, on est tous des vendeurs! Venez, je vais vous montrer comment ranger le stock dans l'arrière-boutique.

Mes explications terminées, je retourne rapidement à mes propres tâches.

Armée du stock de francforts, je me rends à la caisse, où je trouve Sugehara en train d'approvisionner la machine à café. Elle me regarde, perplexe.

— Il est un peu bizarre, ce garçon, non? C'est bien sa première journée de travail? C'est à peine s'il sait tenir la caisse, et pourtant il vient déjà me donner des ordres!

— Vraiment?

Elle s'esclaffe, amusée.

— Vous ne vous fâchez donc jamais, Furukura?

— Pardon?

— Vous m'épatez... Moi, je ne supporte pas ce genre de personne, ça me met en rogne! Alors que vous, non. Vous vous énervez parfois avec nous, mais pas de vous-même. Jamais je ne vous ai vue piquer une colère à cause d'un nouveau pénible.

Sa déclaration me surprend.

Craignant qu'elle n'expose mon imposture, je prends un air déconcerté.

— Ce n'est pas ça... c'est juste que ça ne se voit pas !

— Vraiment ? Le jour où vous vous mettrez en colère, ça sera un choc ! s'esclaffe-t-elle d'une voix forte.

Mon cerveau continue de tourner à plein régime, formulant avec soin une réponse, bientôt interrompu par le bruit d'un panier qu'on pose sur le comptoir. C'est une cliente fidèle, qui marche avec une canne.

— Bienvenue chez SmileMart !

Je commence à scanner énergiquement ses articles.

— Les choses ne changent pas, ici, constate-t-elle, les yeux plissés.

— C'est vrai, dis-je après un instant de réflexion.

Le gérant, les vendeurs, les baguettes jetables, les cuillers, les uniformes, la monnaie, ce lait et ces œufs dont je lis le code-barres, le sac en plastique dans lequel je les range, aucun d'entre eux n'était là à l'ouverture de la boutique. Tous ont été remplacés au fil du temps, petit à petit.

Pourtant, *rien ne change*, comme elle dit.

— Ça fera trois cent quatre-vingt-dix yens ! annoncé-je d'une voix forte tout en y pensant.

Le vendredi suivant, je rends visite à ma sœur dans la région de Yokohama.

Elle habite dans un immeuble neuf, en face

de la gare, dans un nouveau quartier résidentiel. Son mari travaille pour une compagnie d'électricité et ne rentre généralement qu'avec le dernier train.

Leur appartement, même s'il n'est pas très spacieux, est propre, moderne, et bien agencé.

— Je t'en prie, Keiko, entre ! Yûtarô est en train de dormir.

Je pénètre dans le salon en marmonnant les salutations d'usage de la même voix que ma sœur. C'est ma première visite depuis la naissance de mon neveu.

— Comment t'en sors-tu ? Ce n'est pas trop dur ?

— Si, c'est difficile bien sûr, mais je commence à m'y habituer. Il fait ses nuits maintenant, et il est beaucoup plus calme.

Quand j'ai vu mon neveu à l'hôpital à travers la vitre, on aurait dit un être d'une autre espèce, de forme vaguement humaine, avec son corps potelé et ses cheveux déjà hirsutes.

Nous prenons le thé — du thé noir pour moi, du rooibos (sans théine) pour ma sœur — et dégustons le gâteau que j'ai apporté.

— C'est délicieux. Je ne sors plus beaucoup depuis la naissance de Yûtarô, et je n'ai plus l'occasion de me régaler comme ça.

— Ravie que ça te plaise.

— Ça me rappelle notre enfance.

Elle esquisse un sourire un peu gêné.

Assoupi avec son index posé sur la joue, mon neveu dégage une étrange impression de fragilité.

— Quand je regarde Yûtarô, j'ai l'impression de voir un petit animal, dit ma sœur, l'air heureux.

De faible constitution, mon neveu a souvent de la fièvre, si bien que ma sœur lui est totalement dévouée. Je sais qu'il n'y a pas lieu de s'inquiéter — c'est courant, chez les bébés —, mais quand même, ne risque-t-il pas de brûler?

— Et toi, Keiko, comment vas-tu? Tout se passe bien au boulot?

— Oui, je travaille avec entrain. Ah, j'ai failli oublier: je suis allée voir les filles chez Miho l'autre jour.

— Encore? Elles en ont, de la chance! Tu devrais venir voir ton neveu plus souvent, lui aussi, s'esclaffe-t-elle.

Je ne vois pas trop pourquoi je devrais voir tel enfant plutôt qu'un autre: à mes yeux ils se ressemblent tous, qu'il s'agisse de la fille de Miho ou de mon neveu. Enfin, je suppose que ce bébé en particulier est précieux, même si pour moi il en va d'eux comme des chats sauvages: ils ont beau présenter quelques différences, ce sont tous des membres de la même espèce, étiquetée « nourrisson ».

— Au fait, Asami, tu ne pourrais pas me trouver une meilleure excuse? Les gens commencent à douter quand je leur parle de ma santé fragile.

— D'accord, je vais y réfléchir... Mais puisque tu fais de la rééducation, ce n'est pas tout à fait un mensonge de dire que tu es faible. Tu n'as pas à t'en faire pour ça.

— Mais je passe pour bizarre, et on me harcèle de questions... Ce serait bien si j'avais une excuse pour contourner ce problème.

Les gens perdent tout scrupule devant la singularité, convaincus qu'ils sont en droit d'exiger des explications. Personnellement, je trouve ça pénible, et d'une arrogance exaspérante. Au point qu'il m'arrive, comme quand j'étais petite, de vouloir arrêter mon interlocuteur à coups de pelle sur la tête.

Mais si je le disais à ma sœur, elle se mettrait à pleurer. Alors je garde ça pour moi.

Elle s'est toujours montrée si gentille avec moi. Je ne voudrais pas l'attrister. Je passe donc à un sujet plus léger.

— Yukari était là aussi. Comme ça faisait longtemps qu'on ne s'était pas vues, elle m'a trouvée changée.

— C'est vrai, tu es un peu différente ces derniers temps.

— Tu trouves ? Mais toi aussi, tu as changé, Asami. Tu sembles plus adulte.

— Qu'est-ce que tu racontes ? Ça fait un moment que je suis adulte !

Avec ses rides au coin des yeux, ma petite sœur parle d'une voix plus sereine et porte des tenues plus sages. On doit en croiser des milliers comme elle de par le monde.

Le bébé se met à pleurer. Décontenancée, Asami s'empresse de le réconforter.

Sur la table repose le couteau qu'elle a utilisé pour couper le gâteau. Comme il serait facile de faire taire le petit... Je la regarde serrer le nourrisson contre son cœur tout en essuyant les résidus de crème collés à mes lèvres.

Lorsque je me rends au travail le lendemain matin, une atmosphère inhabituelle, tendue, règne dans le magasin.

Près de la porte automatique, un client régulier se tient, effrayé, dans le coin des magazines. Une autre, qui achète toujours du café, sort précipitamment, tandis que deux hommes échangent des murmures devant le stand de petits pains.

Qu'a-t-il bien pu se passer ? Suivant le regard des deux compères, je remarque un homme d'âge moyen, vêtu d'un costume usé, que tout le monde évite des yeux.

Il fait le tour du magasin pour interpeller les différents clients. Afin de les mettre en garde, semble-t-il.

— Vous, là-bas ! lance-t-il d'une voix stridente à un homme aux chaussures toutes crottées. Ne salissez pas le sol ainsi. Ah ! (Il se tourne vers une femme qui regarde des chocolats.)

Ça ne va pas du tout, vous avez tout mis en désordre!

Tous guettent ses mouvements, paniqués à l'idée de devenir sa prochaine cible.

Le comptoir est bondé. Le gérant réceptionne une livraison — du matériel de golf — pendant que Dat tient la caisse de son mieux. Le gêneur s'approche de la file pour haranguer les clients agités.

— Alignez-vous le long du mur, voyons!

Venus faire des courses rapides, l'esprit préoccupé, les salariés pressés font de leur mieux pour l'ignorer.

Je me précipite dans l'arrière-boutique pour passer mon uniforme, un œil sur la vidéosurveillance. Voilà que l'homme se dirige vers le feuilleteur de magazines.

— Vous ne pouvez lire sur place. Arrêtez ça tout de suite!

Le jeune homme le fusille du regard avant de s'adresser au pauvre Dat.

— Dites donc, c'est qui celui-là? Un employé?

— Non, c'est un client..., répond Dat, embarrassé, entre deux encaissements.

— Un intrus, donc? Qu'est-ce qui te prend, papy? De quel droit tu harcèles les gens comme ça?

En cas d'incident, nous avons ordre de laisser un responsable gérer la situation. Le règlement en tête, je finis en hâte de me changer et me dirige vers la caisse pour prendre la relève du gérant.

— Ah, merci, ça m'arrange ! murmure-t-il avant de quitter le comptoir pour aller s'interposer entre les deux belligérants.

Je remets ses achats au client qui attend tout en balayant le magasin du regard pour m'assurer qu'il n'y a pas de grabuge. En cas de bagarre, il faut actionner l'alarme de sécurité.

Grâce à l'intervention du gérant, le gêneur sort enfin en grommelant.

À l'intérieur, la tension retombe et le magasin retrouve son ambiance habituelle.

L'endroit est régi par la normalité. Tout intrus se voit immédiatement éliminé. À peine dissipé le nuage de turbulences qui étouffait encore les lieux un instant plus tôt, la clientèle reprend ses emplettes comme si de rien n'était.

— Merci de votre aide, Furukura ! me dit le gérant lorsque je regagne l'arrière-boutique.

— Je suis juste soulagée que la situation n'ait pas dégénéré !

— Je me demande ce qui lui a pris, à ce client. Sa tête ne me dit pourtant rien...

Izumi fait irruption dans la pièce.

— J'ai manqué quelque chose ?

— Ce n'est rien, juste un type un peu bizarre, explique le gérant. Il faisait le tour de la boutique en grondant les autres clients. Heureusement, on a pu le faire repartir avant que ça dégénère !

— Qu'est-ce que c'est que ces histoires... C'était un régulier ?

— Non, sa tête ne me dit absolument rien. Difficile de savoir ce qui l'a poussé à faire ça. Il n'avait pas l'air de vouloir du mal... Enfin, si jamais il revient, prévenez-moi tout de suite. Il ne faudrait pas qu'il cherche des noises aux autres.

— Entendu !

— Sur ce, je vous laisse. J'ai encore couvert le service de nuit.

— Reposez-vous ! Ah, patron, vous voudrez bien donner un avertissement à Shiraha ? ajoute Izumi. Un vrai tire-au-flanc, celui-là, et ce n'est pas faute de lui avoir fait la leçon !

En dépit de son statut, Izumi gère les temps partiels de concert avec le gérant, comme si elle était titulaire.

— Il n'est vraiment pas sérieux, ce garçon, marmonne ce dernier. Dès son entretien, il m'a fait mauvaise impression. Il parlait avec mépris de notre travail. Dans ce cas, pourquoi postuler ! Mais que voulez-vous, avec la pénurie d'effectifs, je n'ai guère le choix... Il va falloir mettre les points sur les i, une bonne fois pour toutes.

— Il arrive souvent en retard, vous savez. Aujourd'hui encore, il devait prendre son service à 9 heures, et il n'est même pas là, renchérit Izumi en secouant la tête. Il a déjà trente-cinq ans. Il serait temps pour lui d'arrêter les petits boulots, non ?

— Sa vie est finie. Quel loser, un fardeau pour la société ! C'est le devoir de l'homme de contribuer à la bonne marche de la communauté, que ce soit par le travail ou en fondant une famille.

Izumi acquiesce avec ardeur, avant de pousser le gérant du coude avec un petit soupir horrifié.

— Même s'il y a des cas particuliers, comme vous, Furukura. N'est-ce pas ? dit-elle.

— Bien sûr, vous, vous n'avez pas le choix. Et puis c'est différent pour les femmes ! s'empresse également d'ajouter le gérant.

Avant même que j'aie pu répondre, la conversation est revenue à son sujet premier.

— Alors que Shiraha, lui, est vraiment un cas désespéré. Il lui arrive même de tripoter son téléphone à la caisse.

— C'est vrai, moi aussi je l'ai vu !

— Pendant le service ? demandé-je, interloquée.

Laisser le portable au vestiaire, c'est la base du règlement. Je ne comprends pas comment on peut violer un principe aussi élémentaire.

— Je vérifie toujours ce qu'il s'est passé en mon absence sur les vidéos de surveillance, vous savez, explique le gérant. Et je voulais voir quel genre de personne était ce nouveau... Devant moi, il préserve les apparences, mais il semblerait qu'il fasse le travail à moitié.

— Je ne l'avais pas remarqué, je suis désolée.

— Allons, allons, Furukura, vous n'avez pas à vous excuser ! Vous travaillez particulièrement dur ces derniers temps, je l'ai bien vu sur la vidéo, je me suis même dit : « Oh, qu'est-ce qu'elle travaille bien, elle ne se ménage pas ! »

Même absent, le gérant a conscience de mes efforts.

— Je vous remercie !

Alors que je m'incline énergiquement, la porte s'ouvre. Shiraha pénètre sans un mot dans la pièce.

— ... ah, bonjour, marmonne-t-il d'une voix blasée.

Il est tellement maigre que son pantalon doit lui tomber sur les hanches, à en juger par les bretelles qu'il porte par-dessus sa chemise. Même ses bras sont décharnés. Où ses organes peuvent-ils bien se loger dans un corps aussi étroit ?

— Shiraha, vous êtes en retard ! Vous devriez déjà être en uniforme depuis cinq minutes. La présence au briefing est obligatoire ! Répétez bien vos formules de politesse ! Soignez vos saluts quand vous ouvrez la porte du bureau ! Et je vous rappelle que le portable est interdit en dehors des pauses ! Je sais que vous gardez le vôtre en caisse, je l'ai vu !

— Ah... d'accord, désolé..., répond l'intéressé avec un regard confus. Vous parlez d'hier ? C'est Furukura qui m'a dénoncé ?

Je secoue la tête en signe de dénégation.

— Je vous ai vu sur la vidéosurveillance! reprend le gérant. J'ai regardé les bandes de la journée pendant le service de nuit! Bon, j'ai peut-être négligé de vous expliquer le règlement concernant le téléphone, mais c'est très important!

— Ah, je ne savais pas, désolé...

— À partir d'aujourd'hui, pas de quartier! Izumi, vous voulez bien m'accompagner une minute? J'aimerais préparer la section consacrée aux cadeaux de saison. Je pensais faire quelque chose d'accrocheur, cette fois.

— Ça marche! On a déjà reçu les échantillons? Je vais vous aider!

— J'aimerais qu'on s'en occupe aujourd'hui, il faut renouveler l'intégralité des étagères. On va reléguer les produits de consommation courante sur les rayons du bas afin de mettre le reste en avant. Ah, Furukura, je vous laisse faire le briefing matinal avec Shiraha? J'ai à faire dans le magasin.

— Entendu!

À peine sont-ils sortis tous les deux que Shiraha laisse échapper un claquement de langue.

— Eh bien, qu'est-ce qu'il se la raconte, pour un simple gérant de konbini!

Quand on travaille dans une supérette, on est souvent pris de haut. J'aime bien voir la tête de ces personnes qui nous méprisent, je trouve ça intéressant. Après tout, ce sont des humains comme les autres.

Certains vont parfois même jusqu'à railler leur propre profession. Je me surprends à dévisager Shiraha.

Les gens ont une drôle de façon de plisser les yeux quand ils font preuve de dédain. On peut y déceler la peur d'être contredit, et comme une étincelle belliqueuse qui semble défier crânement l'adversaire; ou à l'inverse, on peut y voir luire la délectation, comme une forme de transe induite par le complexe de supériorité.

Je scrute les prunelles de Shiraha. Leur forme est des plus ordinaires, et je n'y perçois qu'une sorte de mépris candide.

Il ouvre la bouche. A-t-il senti mon regard? Il a les dents jaunies, voire noircies par endroits. Sa dernière visite chez le dentiste doit remonter à loin.

— Il a beau prendre de grands airs, il faut vraiment être un loser pour gérer un si petit magasin. Quel vieux con, un sacré minable...

En dépit de leur violence, ses paroles sont tout juste murmurées. Il ne semble pas en proie à l'hystérie. Je distingue deux catégories chez les gens qui font preuve de discrimination : d'un côté il y a ceux chez qui le mépris répond à une pulsion ou un désir; et de l'autre ceux qui ne font que répéter, sans réfléchir, des propos discriminants entendus quelque part. Shiraha fait partie de ces derniers.

Il continue de pérorer à voix basse, trébuchant parfois sur les mots.

— Cette boutique est remplie de minables, c'est toujours pareil avec les konbini, des ménagères dont le mari ne gagne pas assez, des freeters sans perspective d'avenir, et même les étudiants, ce sont les plus minables, ceux qui ne peuvent même pas décrocher un job de prof particulier, sans parler des travailleurs immigrés, tous des minables...

— Je vois.

Moi aussi, j'en fais partie. Il a beau s'exprimer comme un humain, il parle pour ne rien dire. Il doit particulièrement affectionner le terme « minable » pour le prononcer quatre fois en aussi peu de temps. Je hoche la tête, repensant aux propos de Sugehara (« un vrai tire-au-flanc celui-là, il se trouve toujours des excuses, il ne dit que des horreurs »).

— Shiraha, pourquoi êtes-vous venu travailler ici ? lui demandé-je naïvement.

— Pour me trouver une femme, répond-il du tac au tac.

Je pousse un cri de surprise. Jusque-là, on m'a donné quantité de raisons, « c'était près de chez moi », « ça avait l'air sympa », mais c'est bien la première fois qu'on me sort un prétexte pareil.

— Mais j'ai fait chou blanc. Pas de partenaire convenable. Les jeunes ne pensent qu'à s'amuser, et les autres sont trop vieilles.

— Il faut dire qu'on trouve surtout des étudiants et des lycéens dans les konbini, ce n'est pas la bonne tranche d'âge...

— Côté clientèle, ce n'est pas si mal, mais la plupart sont du genre dominantes. Vu que dans le quartier il n'y a que des grandes entreprises, les femmes qui y travaillent sont toutes autoritaires, ça ne va pas.

Il poursuit son monologue, parlant à qui veut l'entendre, les yeux rivés sur une affiche proclamant : « Tâchons de remplir les objectifs de vente pour le Festival de l'*o-bon*[1] ! »

— Celles-là n'ont d'yeux que pour leurs collègues de bureau, elles ne me regardent même pas. Dans le fond, les choses n'ont pas changé depuis l'Antiquité. La plus jolie jeune fille du village épouse l'homme le plus apte à la protéger de ses muscles, laissant les individus moins favorisés par la génétique se consoler entre eux. La société moderne n'est qu'une illusion ; notre monde n'a pas changé depuis l'ère Jômon[2]. On a beau parler d'égalité entre les sexes...

1. Festival bouddhiste célébrant les esprits des défunts, dont la date varie suivant les régions du Japon.
2. Période de l'histoire du Japon allant approximativement de 15 000 à 300 avant notre ère.

— Shiraha, vous devriez mettre votre uniforme. On n'aura pas le temps de faire le briefing matinal.

À contrecœur, il rejoint le placard pour y ranger son sac, sans cesser de grommeler.

Je repense au grincheux mis en déroute par le gérant, plus tôt dans la matinée.

— Ça y est, vous vous êtes remis ?

— Hein ? demande-t-il en retour, interloqué.

— Peu importe. Dépêchez-vous de vous changer, qu'on fasse le briefing !

La supérette est un lieu régi par la normalité. La nouvelle recrue ne tardera pas à rentrer dans le rang.

Gardant mes observations pour moi, je le regarde enfiler négligemment son uniforme.

À mon arrivée à la boutique lundi matin, une croix rouge barre la feuille de service, et le nom de Shiraha a été effacé. Je me demande un instant s'il a pris sa journée, avant de me rappeler que c'est Izumi qui devrait être en congé.

— Bonjour ! Ah, patron, il est arrivé quelque chose à Shiraha ? demandé-je au gérant de retour dans l'arrière-boutique au terme de son service de nuit.

Il échange un regard avec Izumi.

— Ah, Shiraha... (Il esquisse un sourire forcé.) Je me suis entretenu un peu avec lui hier. Il ne viendra plus travailler, explique-t-il avec nonchalance.

Ah, je m'en serais doutée.

— Qu'il néglige son travail et mange en cachette les invendus, je laissais couler, même si c'était limite. Mais il semblerait qu'il se soit mis à harceler une cliente, une habituée qui avait oublié son ombrelle... Il est allé jusqu'à recopier le numéro de téléphone qu'elle avait renseigné sur un bordereau de livraison pour trouver son adresse! Izumi s'en est rendu compte, j'ai aussitôt vérifié sur les vidéos de surveillance, je l'ai pris entre quat'z-yeux et l'ai convaincu de démissionner.

Quel imbécile. Il arrive que les employés commettent de petites infractions, mais c'est bien la première fois que j'entends une histoire aussi épouvantable. Il fallait appeler la police!

— Il a toujours été bizarre, dès le début. Il appelait aussi le numéro laissé par l'employée de nuit et l'attendait dans l'arrière-boutique pour rentrer avec elle. Il a même dragué Izumi, qui est mariée. Impossible de travailler avec un caractère pareil. Vous non plus, Furukura, vous ne l'aimiez pas, n'est-ce pas? demande le gérant.

Izumi grimace.

— Quel type malsain... un vrai pervers! Déjà, se comporter comme ça avec les collègues... alors avec les clientes! Quelle ordure. J'espère qu'il sera arrêté!

— Il n'en est pas question pour l'instant.

— Mais c'est un criminel! Il faut le faire coffrer, et fissa!

Une vague de soulagement traverse le magasin en dépit des fulminations d'Izumi. Avec le départ de Shiraha, le konbini retrouve la paix qui était la sienne avant son embauche. La parole s'en trouve étrangement libérée, comme si nous étions tous délestés d'un poids.

— Pour être honnête, il me tapait sur le système. Pénurie d'employés ou pas, je suis ravie qu'il soit parti! s'esclaffe Sugehara en apprenant la nouvelle. Quelle vermine... Non seulement il se cherchait toujours des excuses, mais quand on le mettait en garde il se mettait à radoter au sujet de l'ère Jômon. Il n'est pas bien dans sa tête!

Izumi renchérit aussitôt :

— Mais oui, mais oui, il est vraiment malsain! On ne comprenait rien à ce qu'il racontait. Promettez-nous de ne plus engager de type bizarre comme lui, patron!

— Mais c'est qu'on était à court de personnel...

— À cet âge, se faire sacquer d'un petit boulot dans un konbini... c'est fini pour lui. Il n'a plus qu'à crever la bouche ouverte!

Éclat de rire général. J'acquiesce énergiquement moi aussi, tout en me disant que je subirai sans doute le même traitement, le jour où je deviendrai un fardeau moi aussi.

— Je vais encore devoir chercher quelqu'un...
Je vais publier une annonce.

Encore une cellule de la boutique qui va se trouver remplacée.

Après le briefing matinal, plus énergique qu'à l'accoutumée, je rejoins la caisse. L'habituée à la canne tend la main pour attraper un article rangé en bas des étagères, manquant de tomber au passage.

— Laissez, madame, je vais le faire! Celle-ci, ça vous ira? demandé-je en attrapant un pot de confiture de fraises.

— Merci, répond-elle avec un sourire.

Elle porte son panier jusqu'au comptoir et sort son portefeuille.

— Les choses ne changent vraiment pas ici, dit-elle comme à son habitude.

Une personne vient de s'éclipser, pourtant.

— Merci de votre fidélité, me contenté-je de répondre en scannant les articles.

La silhouette de la femme dressée devant moi se superpose à celle de ma toute première cliente, il y a dix-huit ans. Cette dame âgée passait quotidiennement, arc-boutée sur sa canne, jusqu'au jour où elle a cessé de venir. Sa santé avait-elle décliné, avait-elle déménagé? Nous ne l'avons jamais su.

Ce qui ne m'empêche pas de contempler le même spectacle qu'en ce premier jour. Depuis, 6 607 matins se sont levés.

Je dépose avec précaution les œufs dans le sac en plastique. Les mêmes qu'hier, et pourtant différents. La cliente glisse les mêmes baguettes jetables dans le même sac et me tend la même monnaie avant de saluer le même matin du même sourire.

Miho m'appelle pour m'annoncer que le barbecue aura lieu chez elle le dimanche suivant. Je lui promets de venir l'aider à faire les courses dès le lever du jour. À peine ai-je raccroché que mon portable sonne de nouveau. L'appel vient de chez mes parents.

— Keiko, c'est bien demain que tu te rends chez Miho-chan ? Tu ne veux pas en profiter pour faire un saut à la maison ? Ton père se sent délaissé.

— Hmm, ça risque d'être difficile. Comme je travaille le lendemain, je dois rentrer tôt pour ménager ma forme.

— Vraiment ? Dommage... Tu n'es pas venue pour le Nouvel An non plus. Tâche de passer bientôt !

— D'accord.

J'ai dû travailler le 1er janvier à cause du manque de main-d'œuvre. Comme le konbini est ouvert trois cent soixante-cinq jours par an, entre les ménagères qui ne peuvent pas venir et les étudiants étrangers qui rentrent dans leur pays pour les vacances, on se trouve toujours en

72

sous-effectif au moment des fêtes. J'avais initialement prévu de rendre visite à ma famille, mais la boutique connaissait de telles difficultés que j'ai préféré travailler.

— Tout se passe bien? Ça doit être difficile, physiquement, de travailler debout tous les jours. Comment vas-tu? Y a-t-il eu du changement?

Il me semble, à travers ces questionnements maladroits, qu'elle espère du neuf. Peut-être se lasse-t-elle un peu d'entendre que rien n'a changé pour moi en dix-huit ans.

Elle semble à la fois soulagée et déçue de ma réponse.

Notre conversation téléphonique terminée, je jette accidentellement un coup d'œil dans le miroir. J'ai vieilli depuis ma naissance en tant qu'employée de supérette. Je n'en conçois pas d'angoisse particulière, mais le fait est que je me fatigue plus vite qu'avant.

Il m'arrive parfois de me demander ce que je deviendrais si jamais je ne pouvais plus travailler au konbini. Notre sixième gérant a dû quitter la boîte à cause de ses maux de dos invalidants. Pour éviter une telle issue, je dois prendre soin de ma santé.

Le lendemain matin, je me prépare afin de me rendre chez Miho pour l'aider à faire les courses, comme convenu. Le déjeuner réunira Miho, Satsuki et leurs maris, ainsi que d'autres amies qui habitent un peu loin. Autant de visages familiers que je n'ai plus vus depuis longtemps.

De cette quinzaine de convives, seules deux autres ne sont pas encore mariées, comme moi. Personnellement, je n'y avais pas trop réfléchi, jusqu'à ce que Miki me glisse à l'oreille que « c'est quand même la honte pour nous ».

— Qu'est-ce que ça faisait longtemps, les filles ! C'était quand, la dernière fois ? Au *hanami*[1] ?

— Je crois bien, oui ! En tout cas c'est la dernière fois que je suis rentrée au pays.

— Alors, alors, qu'est-ce que vous devenez, toutes ?

Chacune y va de sa réponse.

— J'ai déménagé à Yokohama ! C'était pour me rapprocher du boulot...

— Ah, tu as changé d'emploi ?

— Tout juste ! Je bosse pour une entreprise de prêt-à-porter, maintenant ! Les relations n'étaient pas très bonnes sur mon ancien lieu de travail...

— Moi, je me suis mariée et je vis à Saitama ! J'ai gardé le même poste.

— De mon côté, j'ai pris un congé pour m'occuper du petit, déclare Yukari.

---

1. Coutume consistant à se retrouver au pied des cerisiers pour admirer leur floraison printanière, le plus souvent autour d'un pique-nique.

Arrive mon tour.

— J'occupe toujours mon petit boulot au konbini. Ma santé...

Je m'apprête à dérouler l'excuse habituelle élaborée par ma petite sœur avant d'être interrompue par Eri.

— Ah, un temps partiel? Tu t'es mariée, alors! Quand?

— Non, je ne suis pas mariée.

— Mais tu n'es pas salariée? demande Mamiko, perplexe.

— Non. C'est parce que je suis de santé...

— C'est vrai, Keiko est de constitution fragile. C'est pour ça qu'elle doit se contenter d'un petit boulot, déclare Miho, volant à ma rescousse, à mon grand soulagement.

— Tu travailles debout? s'étonne le mari de Yukari, soupçonneux. En dépit de tes problèmes de santé?

C'est la première fois que je le rencontre. Ce qui ne l'empêche pas de se pencher vers moi, le front plissé, pour remettre mon existence en doute, semble-t-il.

— C'est-à-dire que... je n'ai pas d'autre expérience professionnelle, et puis c'est plutôt sympa comme travail, aussi bien sur le plan physique que moral.

Mes explications n'y font rien : il continue de me dévisager comme une apparition.

— Vraiment...? Enfin, tu aurais du mal à

trouver un travail, mieux vaut te marier. Ce ne sont pas les sites qui manquent sur Internet !

Des postillons atterrissent sur la viande en train de griller, projetés par son débit de mitraillette. Faut pas se pencher comme ça sur la nourriture quand on parle... Le mari de Miho, lui, acquiesce énergiquement.

— Mais oui, n'importe qui fera l'affaire ! Vous avez de la chance pour ça, vous les femmes. C'est plus dur pour les hommes.

— Et si on lui présentait quelqu'un... ? Yôji, tu connais du monde.

Tout le monde approuve la suggestion de Satsuki, à coups de « Mais oui, mais oui ! » ou de « On trouvera forcément quelqu'un de convenable ! ».

Le mari de Miho murmure quelque chose à l'oreille de sa femme avant de se tourner vers moi.

— Tous mes amis sont déjà mariés... Désolé, je n'ai personne à te présenter, déclare-t-il avec un sourire forcé. Et si on t'inscrivait plutôt sur un site de rencontres ? Je sais, on devrait prendre des photos tout de suite ! Avec des clichés pris lors d'une fête entre amis, ça fera meilleure impression et tu recevras plus de demandes de contact qu'avec des selfies.

— Oh, quelle bonne idée, faisons ça ! s'exclame Miho.

— Mais oui, ça augmentera tes chances ! décrète le mari de Yukari en réprimant un rire.

— Vous croyez que j'aurai de bons résultats ?

Ma question ingénue semble mettre l'époux de Miho mal à l'aise.

— Disons qu'il faut se dépêcher. À ce train-là, tu vas manquer de temps, pour être honnête. Tu n'es plus toute jeune, bientôt il sera trop tard.

— Tu veux dire que mes chances sont minces ? Mais pourquoi ?

Ma question, pourtant sincère, lui arrache un grommellement d'exaspération.

— Moi aussi je commence à manquer de temps, avec toutes ces années passées à l'étranger…, dit Miki avec légèreté.

— Mais toi, Miki-chan, tu as un travail génial. Tu gagnes mieux ta vie que la plupart des hommes, tu n'as pas besoin de te chercher un fiancé ! s'empresse de répondre le mari de Yukari.

— Ah, la viande est prête !

Tous les convives se servent, soulagés par l'intervention de Miho, et engloutissent la viande sur laquelle a postillonné l'époux de Yukari.

Je les observe, un peu à l'écart, comme du temps où nous étions en primaire, et sens leurs regards posés sur moi comme sur une bête curieuse.

Ah, me voilà redevenue l'intruse, me dis-je distraitement.

Je repense au sort de Shiraha, poussé à la démission. Suis-je la prochaine sur la liste ?

Dans ce monde régi par la normalité, tout intrus se voit discrètement éliminé. Tout être non conforme doit être écarté.

Voilà pourquoi je dois guérir. Autrement, je serai éliminée par les personnes normales.

J'ai enfin compris pourquoi mes parents désespéraient tellement de trouver une solution.

Attirée par le chant du konbini, je fais un saut au magasin sur le chemin du retour.

— Tiens, Furukura! Que faites-vous là?

Occupée à faire le ménage, la lycéenne qui assure le service de nuit esquisse un sourire en remarquant ma présence.

— Ce n'est pas votre jour de congé aujourd'hui?

— Si, je suis allée voir mes parents, je viens juste jeter un œil aux commandes...

— Quel enthousiasme! Vous m'épatez.

Je trouve le gérant dans l'arrière-boutique, en plein travail.

— Patron, vous faites le service de nuit?

— Tiens, Furukura! Que se passe-t-il?

— J'étais de passage dans le coin, alors je me suis dit que je pouvais rentrer les chiffres des commandes...

— Ah, les commandes de pâtisseries? Je les ai rentrées tout à l'heure, mais vous pouvez corriger si vous voulez.

— Merci.

Le gérant a mauvaise mine. Le manque de sommeil, peut-être.

Je m'installe devant l'ordinateur et me mets au travail.

— Comment se déroule le service de nuit? Il y a du monde?

— Ça ne va pas du tout, non. J'ai fait passer un entretien à un candidat, mais c'était un échec. Après l'affaire Shiraha, j'ai besoin de quelqu'un d'utile...

Le patron utilise souvent le terme « utile », si bien que j'en viens à me demander s'il s'applique à moi. Peut-être mon travail vise-t-il à faire de moi un outil dont on puisse se servir.

— Quel genre de personne était-ce?

— Oh, le problème ne venait pas du candidat, mais de son âge. Il avait passé la retraite, et avait dû quitter son poste précédent pour des problèmes de dos. Même chez nous, il aurait eu besoin de congés pour soigner ses douleurs... En étant prévenu à l'avance, j'aurais pu couvrir ses horaires, mais bon...

— Je vois...

Ainsi donc le corps, éprouvé par le travail physique, finit par ne plus être « utile ». Peu importent le sérieux et l'ardeur que je mets à l'ouvrage, avec les ans, moi aussi, je suis sans doute condamnée à devenir un produit inutile dans cette supérette.

— Ah, Furukura, pourriez-vous venir travailler

ce dimanche, rien que l'après-midi? Sugehara donne un concert...

— Pas de problème.

— C'est vrai? Vous me tirez une épine du pied!

Pour l'heure, je conserve mon utilité. Soulagement et anxiété se partagent mon cerveau tandis que je m'esclaffe, à la Sugehara:

— Je vous en prie, ravie de pouvoir me faire un peu plus d'argent!

C'est par hasard que je remarque la présence de Shiraha devant le magasin.

La nuit est sombre dans le quartier de bureaux désert. Je me frotte les yeux, pensant avoir mal vu. En y regardant de plus près, je distingue la silhouette de Shiraha tapie, à l'affût, dans l'ombre d'un immeuble.

Il semble guetter la sortie de la cliente qu'il harcèle. Elle passe toujours acheter des fruits secs en sortant de son travail. D'après le gérant, Shiraha avait pris l'habitude de traîner dans l'arrière-boutique pour l'attendre.

— Shiraha, cette fois, j'appelle la police! dis-je, impassible.

Il se tourne vers moi, surpris. Son visage se détend lorsqu'il me reconnaît.

— Tiens, si ce n'est pas Furukura!

— Vous tendez une embuscade? Il n'y a pas pire infraction de la part d'un vendeur que d'importuner les clients.

— Mais je ne travaille plus à la supérette.

— Moi si, et je ne peux pas fermer les yeux. Le gérant a pourtant été clair avec vous, non? Voulez-vous que j'aille le chercher?

Shiraha dresse l'échine, comme revigoré, pour me regarder de haut.

— Qu'est-ce que cet esclave minable pourrait bien contre moi? Je ne fais rien de mal. J'ai vu une fille qui me plaisait, je me suis épris d'elle, je vais la faire mienne. N'est-ce pas ainsi que ça fonctionne entre hommes et femmes depuis la nuit des temps?

— L'autre jour vous me disiez que c'était l'homme le plus fort qui conquérait la demoiselle. Faudrait savoir.

— Certes, je suis actuellement sans emploi, mais j'ai une vision. Quand j'aurai lancé mon affaire, les filles seront attirées comme des mouches.

— Ce n'est donc pas par la force que vous comptez gagner leurs faveurs?

Il baisse la tête d'un air embarrassé.

— Quoi qu'il en soit, les choses n'ont vraiment pas changé depuis l'ère Jômon, même si tout le monde fait mine de ne pas le savoir. Nous sommes des bêtes après tout, décrète-t-il, éludant ma question. Vous voulez que je vous dise? Notre monde est déficient. Et c'est à cause de son imperfection que je suis traité de façon injuste.

Il a beau dire, je n'arrive pas à me représenter ce qu'il entend par la déficience du monde. Je n'ai jamais très bien compris ce qu'on appelait « le monde », d'ailleurs. Ça m'a toujours semblé abstrait, comme concept.

Shiraha me contemple en silence avant de porter les mains à son visage. Je m'attends à le voir éternuer, mais entre ses doigts coule un filet d'eau : il pleure.

Il ne faudrait pas qu'un client le voie.

— Peu importe, ne restons pas là, dis-je en l'attrapant par le bras pour le guider vers un *family restaurant* proche.

— Ce monde ne tolère pas les anomalies. J'ai toujours eu à en souffrir, déclare Shiraha en sirotant un thé au jasmin.

C'est moi qui ai dû mettre le sachet dans sa tasse tandis qu'il restait figé sur son siège. Muré dans le silence, il s'est mis à boire sans même me remercier.

— On n'a pas le droit à la différence. *Pourquoi n'as-tu toujours qu'un petit boulot, à trente-cinq ans passés ? Pourquoi n'as-tu jamais eu de relation amoureuse ?* On ne cesse de te demander si tu as eu des expériences sexuelles. Ils vont même jusqu'à préciser en riant : *Si tu as payé, ça ne compte pas !* Moi, je ne dérange personne, mais parce que je fais partie de la minorité, tout le monde se permet de violer ma vie privée.

Si vous me demandez mon avis, c'est plutôt Shiraha qu'il faudrait accuser d'agression sexuelle, mais peut-être ses connexions neurologiques ne lui permettent-elles pas de se voir pour ce qu'il est, le poussant au contraire à jouer les victimes et à exagérer sa peine, sans penser aux jeunes femmes qu'il a harcelées.

Peut-être qu'il aime s'apitoyer sur son sort.

— Oui, c'est ennuyeux, dis-je pour lui faire plaisir.

Je suis de son avis, même si, n'ayant rien de particulier à cacher, j'ai du mal à comprendre pourquoi il se met dans des états pareils. Enfin, la vie est dure, me dis-je en buvant ma tasse d'eau chaude.

Je ne ressens pas le besoin d'aromatiser mes boissons chaudes, je me contente de prendre mon eau telle quelle, sans y mettre d'infusette.

— Voilà pourquoi je veux me trouver une femme, pour qu'on cesse de critiquer ma façon de vivre, poursuit Shiraha. Le mieux, ce serait une femme riche. J'ai des idées pour monter une affaire sur le Net. Je ne peux pas t'expliquer quoi en détail, parce qu'il ne faudrait pas qu'on me copie... mais l'idéal, ce serait de trouver une partenaire qui investisse dedans. Ça marchera à tous les coups, si je le fais, plus personne ne pourra me critiquer.

— Vous seriez prêt à aller aussi loin, juste pour faire taire les critiques?

Finalement, il s'écrase devant l'ordre établi? Étrange.

— Je suis fatigué, acquiesce-t-il.

— Ce n'est pas logique. Si le mariage suffit à obtenir la paix, autant le faire tout de suite.

— Ne parle pas trop vite. À la différence des femmes, les hommes sont critiqués quoi qu'ils fassent. On les oblige à chercher un emploi, à toujours gagner plus, à prendre femme et à faire des enfants. Le monde nous juge en permanence. Les femmes ont la vie facile! Ne nous mets pas dans le même sac, maugrée-t-il.

— Mais n'est-ce pas un problème insoluble? Tout ça n'a aucun sens.

Il poursuit sur sa lancée, sans relever mon objection.

— J'ai passé ma vie à lire des manuels d'histoire pour comprendre pourquoi le monde allait si mal. Meiji, Edô, Heian, quelle que soit la période, le monde allait de travers. Même en remontant aussi loin que l'ère Jômon! (Il abat le poing sur la table, renversant sa tasse au passage.) J'ai alors remarqué un truc : le monde n'a pas changé depuis l'ère Jômon. Les êtres inutiles à la communauté sont éliminés. Les hommes qui ne chassent pas, les femmes qui ne produisent pas d'enfant. La société moderne a beau mettre en avant l'individualisme, toute personne qui ne contribue pas est écartée, neutralisée, et pour finir mise au ban de la communauté.

— Vous vous passionnez pour l'ère Jômon, on dirait.

— Je n'en ai que faire. Je la hais! Mais si on gratte la surface de notre société contemporaine, on trouve l'ère Jômon juste en dessous. Les femmes se rassemblent autour de l'homme fort qui capture le gros gibier pour lui donner la plus belle fille du village en mariage. Si la chasse échoue, l'homme faible et inutile sera méprisé. Le système n'a pas du tout changé depuis.

Je n'ai d'autre choix que d'acquiescer. Car je ne peux pas rejeter ses propos en bloc. C'est pareil au konbini : le personnel aura beau se relayer, le spectacle, lui, sera toujours le même.

Le refrain de l'habituée à la canne résonne dans ma tête. *Les choses ne changent pas.*

— Comment peux-tu rester aussi calme? Tu n'as pas honte?

— Hein? Pourquoi?

— À force de travailler à la supérette, tu vas finir vieille fille. Même vierge, tu as perdu ta primeur. Tu es repoussante. Si on était à l'ère Jômon, tu serais une de ces femmes esseulées qui errent sans but à travers le village et se flétrissent sans produire d'enfant. Tu n'es qu'un fardeau pour la communauté. En tant qu'homme, je peux toujours retourner la situation, mais pour toi, c'est déjà trop tard.

Jusque-là, je sentais les objections monter en moi, mais ses critiques semblent s'adresser à lui-même autant qu'à moi. Son raisonnement n'a ni queue ni tête : lui qui se plaint de voir son intimité violée inflige le même traitement aux autres, afin de soulager sa frustration.

Shiraha contemple sa tasse de thé au jasmin d'un air maussade.

— Je voulais un café, bougonne-t-il, comme s'il venait seulement d'en identifier le contenu.

Je me lève pour aller chercher un café en libre-service, que je dépose devant lui.

— Il est fade. Le café est infect dans ce genre d'endroit.

— Shiraha, si votre seul but est le mariage, que diriez-vous de m'épouser? dis-je en me rasseyant avec une deuxième tasse d'eau chaude.

— Quoi? s'écrie-t-il.

— Puisque vous détestez les interventions et la pression de la communauté, autant faire vite. Je n'ai pas bien saisi votre histoire de chasse... ou plutôt d'emploi, mais si vous vous mariez, ça devrait éliminer les risques qu'on vous embête au sujet de votre vie amoureuse et sexuelle, non?

— Qu'est-ce que tu me chantes, d'un seul coup? N'importe quoi! Désolé, mais tu ne m'excites pas du tout.

— Quel rapport avec le mariage? Il s'agit d'un contrat. L'excitation, c'est un phénomène physiologique.

Je profite de son silence pour expliquer doctement mon propos.

— Comme vous le disiez, le monde vit peut-être encore à l'ère Jômon. Les êtres inutiles à la communauté sont persécutés et bannis. Ce que je veux dire, c'est que le konbini fonctionne sur le même modèle. Tout employé inutile est viré.

— Le konbini... ?

— On n'a pas d'autre choix que de garder son poste le plus longtemps possible. Rien de plus simple : il suffit d'enfiler son uniforme et d'appliquer les règles du manuel. Il en va de même avec le monde à l'ère Jômon : si on enfile la peau d'une personne normale et qu'on applique les règles du manuel, la communauté nous laissera en paix.

— Je ne comprends rien à ce que tu me racontes.

— Autrement dit, il nous suffit d'interpréter le rôle d'un être fictif, une « personne normale » parmi les autres. De même qu'à la supérette, je joue le rôle d'un être fictif, une « vendeuse » parmi les autres.

— C'est trop pénible, je ne vais pas me donner tout ce mal.

— Mais, Shiraha, c'est vous qui parliez d'être opportuniste il y a encore un instant. Vous allez vous dégonfler à la première difficulté ? Évidemment, consacrer sa vie à affronter le monde en face pour obtenir sa liberté, ça requiert plus d'honnêteté que de souffrir en maugréant.

Il se contente de fixer son café sans dire un mot.

— Alors, si c'est trop dur, inutile de vous forcer. Contrairement à vous, je me fiche de toutes ces choses. Je n'ai pas particulièrement d'amour-propre, je me contente très bien de suivre les règles de la communauté.

J'efface la période de ma vie où les gens me regardaient comme une anomalie. Une façon de me guérir, peut-être?

Rien que ces deux dernières semaines, on m'a demandé quatorze fois : « Pourquoi tu ne te maries pas? » Et douze fois : « Pourquoi toujours ce petit boulot? » Autant commencer par éliminer la première question.

J'ai besoin de changement. Bon ou mauvais, ce sera toujours mieux que l'impasse dans laquelle je me trouve. Mutique, Shiraha continue de fixer la surface noire de son café, la mine grave, comme si un abîme s'était ouvert devant lui.

Finalement, alors que je m'apprête à prendre congé, Shiraha finit par me répondre d'un air ambigu qu'il va « y réfléchir », avant de me tenir la jambe encore un moment.

Par bribes, je comprends qu'il habitait en colocation, avant de se faire mettre dehors pour retard de loyer. Il envisageait de retourner vivre chez ses parents, à Hokkaidô, mais suite au mariage de son frère cadet, il y a cinq ans, la maison familiale a été remodelée afin de permettre aux jeunes mariés de s'y installer avec leur petit garçon, si bien qu'il n'y a plus de place pour lui. Sa belle-sœur l'a apparemment pris en grippe ; jusque-là, il arrivait à l'amadouer par l'argent, mais la stratégie ne semble plus fonctionner.

— Cette langue de vipère a tout gâché ! Elle ne fait rien que parasiter mon frère, mais elle se comporte comme la reine de la maison ! Qu'elle crève !

Mû par la rancœur, il n'en finit plus de déblatérer sur sa vie privée. Je cesse de l'écouter et consulte ma montre.

Bientôt 23 heures, déjà. Demain aussi, je travaille. Une bonne condition physique est essentielle pour nous autres vendeurs qui sommes payés à l'heure, comme me l'a appris le deuxième gérant. Je vais manquer de sommeil.

— Voulez-vous venir chez moi ? lui proposé-je. Je peux vous héberger si vous couvrez les frais de nourriture.

Il n'a nulle part où aller et, si je le laisse s'emporter, il serait capable de rester là jusqu'au matin à ruminer. En dépit de ses molles protestations, je le traîne chez moi de force.

Je remarque au moment d'entrer dans l'appartement qu'il dégage une odeur de clochard. Je l'invite à aller se laver, lui fourre une serviette dans les mains et l'enferme dans la salle de bains. La douche se met en marche à l'intérieur. Je pousse un soupir de soulagement.

Il reste si longtemps sous la douche que je crains de m'endormir en l'attendant. Sur un coup de tête, j'appelle ma sœur.

— Allô?

Une chance qu'elle soit encore réveillée à cette heure.

— Désolée de t'appeler au milieu de la nuit. Yûtarô va bien?

— Ça va, oui, il dort à poings fermés. Que se passe-t-il?

Je visualise la silhouette de mon neveu, assoupi sous le même toit qu'elle. La vie de ma sœur continue. Avec ce nouvel être, qui n'était pas là avant. Peut-être qu'elle aussi, elle espère du changement dans ma vie, comme notre mère. Je lui parle de mes expériences récentes.

— Ce n'est sans doute pas une raison pour t'appeler à minuit, mais... j'ai un homme chez moi en ce moment.

— Hein? hoquète-t-elle sous le coup de la surprise.

Je suis à deux doigts de lui demander si tout va bien quand elle s'empresse d'ajouter:

— C'est vrai? Ce n'est pas une blague? Depuis quand? Ça fait longtemps? Comment est-il?

— C'est récent... Je l'ai rencontré au travail.

— Oh, Keiko, je suis tellement contente!

Confuse, je l'écoute me féliciter sans même s'intéresser aux circonstances de ladite rencontre.

— Pourquoi te réjouis-tu comme ça?

— Je ne le connais pas, bien sûr, mais c'est la première fois que tu me parles de ce genre de chose... Quelle joie ! Tu as tout mon soutien !

— Vraiment... ?

— Mais puisque tu m'en parles, est-ce que ça veut dire que tu songes à te marier ? Ah, pardon, c'est peut-être trop tôt ?

Je ne savais pas ma sœur aussi loquace. À l'entendre s'enthousiasmer ainsi, je me dis que Shiraha n'a pas nécessairement tort en déclarant que notre époque n'est qu'une version déguisée de l'ère Jômon.

Ainsi donc les règles étaient écrites depuis longtemps. Comme tout le monde les avait en tête, personne n'a cru nécessaire de les coucher sur le papier. La forme définitive des « personnes normales » n'a pas changé depuis l'ère Jômon, c'est juste moi qui viens de le découvrir.

— Je suis vraiment contente pour toi, Keiko. Après toutes les épreuves que tu as traversées, tu as enfin trouvé quelqu'un qui te comprenne !

Elle imagine ce qu'elle a envie d'entendre, toute à son excitation. Si seulement elle m'avait dit qu'il suffisait d'une chose aussi simple pour qu'on me considère comme « guérie ».

Lorsque je raccroche, Shiraha est sorti de la salle de bains et traîne, désœuvré.

— Ah, tu n'as pas de vêtements de rechange. Tiens, c'est l'uniforme qu'on portait à l'ouverture du magasin. Ils nous les ont donnés quand on a changé de design. C'est un modèle unisexe, ça devrait t'aller.

Il hésite un peu avant d'accepter la veste violette et de l'enfiler à même le torse. Ses bras trop longs sont un peu à l'étroit, mais il parvient tant bien que mal à fermer le zip. Je lui donne un bermuda pour remplacer la simple serviette qui lui couvre le bas.

Qui sait depuis combien de jours il ne s'était pas lavé. Ses affaires empestent. Je les fourre dans le lave-linge et l'invite à s'asseoir, ce qu'il fait nerveusement.

Mon appartement consiste en une petite chambre à la japonaise, avec salle de bains et toilettes séparées. Les lieux ne sont pas très bien ventilés ; humidité et vapeur ont suivi Shiraha dans la pièce principale.

— Il fait un peu chaud. Veux-tu que j'ouvre la fenêtre ?

— Ah, pas la peine...

Il n'arrête pas de gigoter nerveusement, réajustant sa position.

— Si tu as besoin des toilettes, c'est par là. La chasse d'eau est un peu grippée, il faut bien tirer quand tu fais la grosse commission.

— Je n'ai pas besoin d'aller aux toilettes, merci.

— De toute façon, tu n'as nulle part où aller, n'est-ce pas ? Vu que tu as été plus ou moins mis dehors par tes colocataires.

— Oui...

— De mon côté, ça m'arrange de t'héberger. Je viens d'essayer de parler à ma sœur. Elle est folle de joie, elle s'imagine déjà tout un tas de choses. Je suppose que dès qu'un homme et une femme partagent une chambre, quelles que soient les circonstances, tout le monde en tire les mêmes conclusions.

— Ta sœur..., marmonne-t-il, interloqué.

— Au fait, tu aimes le café en boîte? J'ai aussi du cidre. J'ai acheté des cabossées, mais je ne les ai pas encore mises au frais.

— Cabossées...?

— C'est vrai, on n'a pas eu le temps de t'expliquer. C'est comme ça qu'on appelle les canettes bosselées qu'on ne peut plus vendre. À part ça, je n'ai que du lait et de l'eau chaude...

— Je prendrai le café.

Je n'ai qu'une petite table basse. Comme la pièce est exiguë, je roule mon futon pour l'entreposer devant le réfrigérateur. J'en ai un deuxième, rangé dans le placard, pour les visites occasionnelles de ma sœur ou de mes parents.

— J'ai un deuxième futon, tu peux dormir ici en attendant de trouver un endroit où vivre.

— Dormir... C'est-à-dire que je suis du genre maniaque... Si tout n'est pas préparé comme il faut..., dit-il d'une petite voix en gigotant.

— Si tu es maniaque, tu auras peut-être du mal avec le futon. Ça fait un moment qu'il n'a pas été utilisé ni aéré. C'est un vieil apparte-ment, il y a souvent des cafards.

— Non, ce n'est pas un problème, mon ancienne chambre n'était pas très propre non plus, mais enfin, tu me mets devant le fait accompli, là, mais en tant qu'homme, je dois prendre certaines précautions... Tu as même appelé ta sœur tout d'un coup, c'est que tu dois être un peu désespérée.

— J'ai eu tort? J'avais juste envie de voir sa réaction, c'est tout.

— Disons que c'est un peu effrayant, comme situation... On lit souvent ce genre d'histoires sur Internet, mais je ne me doutais pas que ça arrivait vraiment...

— Je vois... Je pensais que tu devais être dans l'embarras, sans nulle part où aller, mais si ça te met mal à l'aise, tu peux toujours reprendre tes vêtements et repartir. Je n'ai pas encore lancé la machine.

— Non, ce n'est pas..., bredouille-t-il. Mais si tu le dis comme ça...

La conversation stagne.

— Désolée, mais il se fait tard. On peut dor-mir? Tu es libre de t'en aller quand ça t'arrange, et si tu veux dormir, tu peux dérouler le futon et te mettre à l'aise. Demain aussi, je travaille dès le matin. Comme je suis payée à l'heure, il est de ma responsabilité d'arriver au konbini dans la meilleure forme physique possible. C'est le deuxième gérant qui me l'a appris, il y a seize ans. Il faut bien dormir avant d'aller travailler.

— Ah, le konbini... d'accord..., répond Shiraha d'un air stupide.

Assez traîné comme ça. Je déroule mon futon.

— Je suis fatiguée, je me laverai demain. Je risque de faire du bruit tôt le matin. Bonne nuit.

Après m'être brossé les dents et avoir réglé mon réveil, je me glisse sous la couette et ferme les yeux. De temps à autre, de petits bruits s'élèvent du côté de Shiraha, progressivement recouverts par le chant du konbini qui résonne dans ma tête, et avant même de m'en rendre compte je me suis endormie.

Lorsque j'ouvre les yeux le lendemain, Shiraha dort, la moitié inférieure du corps fourrée dans le placard. Quand je ressors de la salle de bains, il n'est toujours pas réveillé.

Si tu sors, merci de mettre la clef dans la boîte aux lettres, écris-je avant de partir comme d'habitude afin d'arriver à 8 heures au magasin.

Après ses protestations de la veille, je m'attends à ce qu'il ait dégagé le plancher en mon absence. À mon retour, pourtant, il est toujours là.

Désœuvré, les coudes sur la petite table, il boit une canette cabossée de cidre au raisin blanc.

— Tu es encore là.

Il sursaute, surpris.

— Oui...

— Ma sœur n'a pas arrêté de m'envoyer des messages toute la journée. C'est la première fois que je la vois aussi enthousiaste à mon sujet.

— C'est normal. Elle aussi, elle doit penser qu'il vaut mieux pour une femme de cohabiter avec un homme, plutôt que de rester vierge jusqu'à l'âge mûr et de gaspiller ses meilleures années à un petit boulot dans une supérette.

Oublié, le petit garçon perdu d'hier : le Shiraha que je connais est de retour.

— Alors ce n'est pas normal, comme mode de vie ?

— Tu ne comprends donc pas ? Les individus en marge de la communauté n'ont aucune intimité. Tout le monde vient nous marcher dessus, sans ménagement. Ceux qui ne contribuent pas, que ce soit par le mariage, en ayant des enfants, en allant chasser ou gagner de l'argent, sont des hérétiques. Voilà pourquoi nous ne pouvons mener notre vie sans être dérangés.

— Oui...

— Ouvre un peu les yeux ! Pour parler clairement, tu es au plus bas de l'échelle : tu seras bientôt trop vieille pour avoir des enfants, tu n'as pas l'air de te préoccuper de tes besoins sexuels, tu ne gagneras jamais aussi bien ta vie qu'un homme et tu n'as même pas d'emploi stable, juste un petit boulot. Tu n'es qu'un fardeau pour la communauté, un déchet humain.

— Je vois. Mais je ne peux pas travailler

ailleurs qu'à la supérette. J'ai essayé, un temps, de faire autre chose, mais je suis incapable de porter un autre masque que celui de vendeuse de konbini. Alors ça m'ennuie d'entendre ce genre de critique.

— C'est bien la preuve que le monde moderne est défectueux! On a beau prétendre qu'il existe une grande variété de modes de vie, dans le fond, rien n'a changé depuis l'ère Jômon. Le taux de natalité continue de baisser, et la vie est de plus en plus dure, pour régresser à la préhistoire sans que personne ne s'en préoccupe. On en revient à un système qui blâme tout être inutile à la communauté.

Shiraha a beau m'insulter cruellement, cette fois, c'est contre le monde que monte ma colère. Je ne sais pas au juste contre quoi la diriger. Ses paroles me donnent envie d'attaquer tout ce qui se trouve à proximité.

— Furukura, je trouvais ta proposition délirante, mais elle n'est pas mauvaise. Collaborons, tous les deux. Si je reste chez toi, certains te mépriseront peut-être au motif que tu vis avec un pauvre, mais la plupart approuveront. Telle que tu es, tu restes ambiguë. Pour la société, un individu qui n'est ni marié ni salarié n'a aucune valeur. Il n'est bon qu'à être banni de la communauté.

— Oui...

— Je cherche femme. Tu es loin de mon idéal. Ton petit boulot ne rapporte pas beaucoup, je ne pourrai pas monter mon affaire, et ce n'est pas avec toi que je vais pouvoir assouvir mes besoins sexuels.

Shiraha vide sa canette de cidre d'un trait, comme s'il éclusait un verre de saké.

— Mais je suppose que nos avantages et inconvénients s'équilibrent. On peut essayer.

— D'accord.

Je sors une canette de cidre chocolat-melon du sac en papier et la lui tends avant de lui demander :

— Quels seraient les bénéfices pour toi ?

Il reste coi un moment, puis répond à voix basse :

— J'aimerais que tu me caches.

— Pardon ?

— J'aimerais que tu me caches aux yeux du monde. Tu peux parler de moi autant que tu veux, te servir de moi pour enjoliver ton quotidien. Mais je resterai dissimulé ici. J'en ai assez des interventions de parfaits étrangers.

Tête baissée, il sirote son cidre chocolat-melon.

— Si je sors, ma vie sera encore violée. Un homme, ça doit travailler, se marier, puis une fois ce cap passé, gagner encore plus d'argent et faire des enfants. Il est l'esclave de la communauté. Condamné à une vie de travail. Même mes testicules appartiennent à la communauté. Je n'ai pas d'expérience sexuelle, mais on me pousse à gaspiller mon sperme.

— Ça doit être pénible.

— Il en va de même pour ton utérus. Simplement, comme tu ne t'en sers pas, tu ne t'en es pas rendu compte. Je ne fais rien de ma vie. Tout ce que je veux, c'est continuer de respirer, jusqu'à ma mort, sans intervention extérieure. C'est tout ce que je souhaite.

Il joint les deux mains comme en signe de prière.

Je réfléchis au profit que je pourrais tirer de sa présence. Ma mère, ma sœur et moi-même commençons à en avoir assez que je ne guérisse pas. J'ai besoin de changement. Bon ou mauvais, ce sera toujours mieux que ma situation actuelle.

— Je ne souffre peut-être pas autant que toi, mais pour moi non plus la vie n'est pas facile au konbini. Chaque nouveau gérant me demande pourquoi je n'ai jamais fait d'autre travail, et mon absence d'excuse est vite devenue louche. J'ai dû chercher des prétextes. Mais ça, tu ne le sais pas.

— Si je reste ici, les gens te laisseront tranquille. Pour toi, il n'y a que des bénéfices.

Il semble bien sûr de lui. Je trouve son enthousiasme soudain un peu louche, mais en repensant à la réaction de ma sœur au téléphone et aux expressions des filles lorsque je leur ai confié n'avoir jamais connu l'amour, je me dis que ce ne serait peut-être pas si mal d'essayer.

— Je n'ai pas besoin de récompense en échange. Si tu m'héberges et me nourris, ça me suffit.

— D'accord... Et puisque tu n'as pas de revenus, inutile de te demander compensation. Comme je suis pauvre moi-même, je ne peux pas te donner d'argent de poche, mais je te fournirai ta pâtée.

— Hein...?

— Ah, pardon. C'est la première fois que j'héberge un être vivant, j'ai l'impression d'avoir un animal domestique.

La formulation n'a pas l'air de lui plaire.

— Peu importe, rétorque-t-il d'un air suffisant. À propos, je n'ai rien mangé depuis ce matin.

— Ah, oui, il y a du riz et des légumes dans le réfrigérateur, n'hésite pas à te servir.

Je sors les assiettes et les dispose sur la table. Au menu : riz et légumes bouillis assaisonnés de sauce soja.

Shiraha fait la grimace.

— Qu'est-ce que c'est que ça?

— Radis blanc, pousses de soja, pomme de terre et riz.

— Tu manges toujours ce genre de plat?

— Que veux-tu dire?

— Tu ne fais pas la cuisine?

— Je fais cuire les aliments et je les mange. Je ne me soucie pas particulièrement du goût, mais j'ajoute de la sauce soja pour couvrir mes besoins en sel.

Mes explications consciencieuses n'ont pas l'air de l'éclairer. Il prend une bouchée avant de la recracher en grommelant quelque chose au sujet d'une « pâtée ».

Je t'avais prévenu, me dis-je en enfournant une fourchetée de radis blanc.

Dans l'ensemble, même si je savais avoir affaire à un escroc en laissant Shiraha s'installer chez moi, ses prédictions s'avèrent plus justes que je ne l'aurais cru.

Sa présence m'arrange, comme je ne tarde pas à m'en convaincre.

La deuxième fois que je parle de Shiraha, c'est lors d'une réunion chez Miho. Tandis que nous dégustons un gâteau, je laisse nonchalamment échapper qu'il habite chez moi.

L'éruption de joie générale me laisse un peu perplexe.

— Hein, quoi, depuis quand? Ça fait longtemps?

— Comment est-il?

— Comme je suis contente! Je me faisais du souci pour toi, Keiko, je me demandais ce que tu allais devenir... Quelle joie!

Inquiète face à une telle explosion, je me contente de marmonner des « merci ».

— Alors, raconte! Qu'est-ce qu'il fait dans la vie?

— Rien. À ce qu'il dit, il rêve de monter une

entreprise sur Internet, mais ce ne sont que paroles. Il traîne à la maison, c'est tout.

Les expressions changent. Elles se redressent et écoutent mon histoire avec attention.

— Oui, il y a plein d'hommes comme ça ! Mais qui sait, peut-être est-il du genre attentionné et gentil, avec un charme bien à lui. Une de mes amies s'est laissé séduire de cette façon.

— Moi aussi j'ai une amie qui a craqué pour un type comme ça après avoir été trompée par son ex. Si encore il s'était occupé des tâches ménagères, on aurait pu le voir comme un homme au foyer... mais il n'en faisait rien. Il a complètement changé d'attitude quand elle est tombée enceinte, cependant, et maintenant ils sont très heureux !

— Mais oui, ces hommes-là se révèlent vraiment au moment de la grossesse !

Bien plus satisfaites que du temps où je répondais n'avoir jamais connu l'amour, elles ne cessent de pérorer à tort et à travers comme des expertes. Alors qu'elles semblaient rarement savoir comment réagir quand je n'étais qu'une vieille fille vierge et sans emploi, depuis que j'ai laissé Shiraha s'installer chez moi, elles vont jusqu'à m'imaginer un avenir tout tracé.

En écoutant mes amies discuter à loisir de mon histoire avec Shiraha, il me semble les entendre parler d'une parfaite étrangère. Seuls nos noms nous relient à ces personnages, dont les aventures n'ont aucun rapport avec mon existence.

Je m'apprête à intervenir mais suis immédiatement interrompue.

— Tu devrais écouter nos conseils !

— C'est vrai, Keiko, après tout c'est ta première relation. Alors que nous, on connaît ce genre d'homme par cœur.

— Miho aussi, elle est sortie avec un mec comme ça quand elle était jeune...

C'est la première fois qu'elles me traitent comme une des leurs. *Bienvenue dans notre monde*, semblent-elles me dire.

Parfaitement consciente d'avoir soudain quitté mon statut de paria, je m'empresse d'acquiescer frénétiquement à leurs suggestions agrémentées de postillons, en ponctuant régulièrement d'un « je vois ! » à la Sugehara.

Au konbini aussi, depuis que j'ai recueilli Shiraha, tout va bien. Seulement, il faut bien le nourrir. Alors je mets les bouchées doubles, et songe à travailler aussi le vendredi et le dimanche.

En prenant mon service, je croise le gérant sorti jeter les détritus dans le local extérieur. J'en profite pour l'interpeller d'un air innocent.

— Dites, patron, est-ce que je pourrais travailler le vendredi et le dimanche aussi ? J'aimerais bien faire des heures en plus pour augmenter mes revenus...

— Que se passe-t-il, Furukura? Enfin, ça vous ressemble bien, de toujours en faire plus! Mais la loi impose de prendre au moins un jour de congé... Peut-être pourriez-vous postuler en parallèle dans un autre magasin? Ils sont tous à court de personnel, ils devraient être ravis de vous accueillir.

— Merci beaucoup!

— Mais n'allez pas vous démolir la santé, surtout... Ah, tenez, voilà pour le mois.

Il me tend mon bulletin de salaire, que je glisse dans mon sac.

— Ah, je n'ai pas encore payé Shiraha... Ses effets personnels sont encore ici, mais je n'ai pas réussi à le joindre..., soupire-t-il.

— Son téléphone n'est pas branché?

— Si, mais il ne décroche pas. Il n'est vraiment pas sérieux, ce garçon. Il a promis de repasser, mais son bazar est toujours dans son casier.

— Voulez-vous que je lui apporte? laissé-je échapper.

Un nouvel employé doit commencer le service de nuit dès demain. Ce serait ennuyeux qu'il n'ait pas de place où ranger ses affaires.

— Hein? À Shiraha, voulez-vous dire? Êtes-vous en contact avec lui? s'étonne le gérant.

Zut. J'acquiesce.

Tu peux parler de moi autant que tu veux avec les gens que je ne connais pas, mais pas un mot au konbini. C'était la condition de Shiraha.

104

Je veux disparaître complètement aux yeux de mes connaissances. J'ai beau ne déranger personne, tout le monde vient se mêler de ma vie. Tout ce que je veux, c'est qu'on me laisse tranquille, disait-il comme pour lui-même.

La cloche de la porte d'entrée tinte à l'écran de vidéosurveillance et me tire de ma réflexion.

Je pose le regard sur le moniteur et remarque un groupe de clients, des hommes. Voyant qu'il n'y a que le nouveau arrivé la semaine dernière, Tuan, pour tenir la caisse, je fais mine de le rejoindre au comptoir.

— Minute, papillon, pas si vite ! s'exclame le gérant d'un air jovial.

— Je vais aider en caisse ! expliqué-je en désignant l'écran avant de sortir de la remise.

Trois clients font déjà la queue quand j'arrive. Tuan, lui, se bat avec la machine.

— Euh, et ça, qu'est-ce que…, marmonne-t-il en agitant un bon d'achat, décontenancé.

— C'est un bon de remboursement. Rendez-lui donc sa monnaie ! dis-je en joignant le geste à la parole afin de prendre la deuxième caisse. Merci d'avoir patienté ! Personne suivante ! Par ici s'il vous plaît !

Un client, visiblement agacé d'avoir dû attendre, s'approche.

— C'est un nouveau, celui-là ? C'est que je suis pressé, moi…, maugrée-t-il.

— Désolée pour l'attente! dis-je en inclinant la tête.

Encore inexpérimenté, Tuan aurait besoin de l'aide d'Izumi pour tenir sa caisse. Mais celle-ci, occupée à disposer les plats préparés, ne semble pas avoir remarqué l'encombrement au comptoir.

Le calme enfin revenu, notant que les bâtonnets de poulet frit *karaage* en promo ne sont pas encore en rayon, je me dirige vers la chambre froide.

Dans la remise, je surprends le gérant et Izumi en pleine conversation.

— Patron, notre objectif aujourd'hui est de vendre cent bâtonnets de karaage, non? Mais les rayons ne sont pas du tout prêts pour le pic de la mi-journée, même les pancartes ne sont pas mises!

Je m'attends à ce qu'Izumi acquiesce d'un « comme c'est ennuyeux ». Au lieu de quoi elle se tourne vers moi avec intérêt.

— Alors, alors, Furukura, c'est vrai que vous sortez avec Shiraha?

— Hein? Enfin, Izumi, le poulet frit...

— Minute! Depuis quand ça dure, cette histoire? Ça ne vous ressemble pas! Qui s'est confessé le premier? Shiraha?

— Elle est trop gênée pour répondre! Et si on allait boire un verre tous ensemble? Shiraha peut venir aussi!

— Patron, Izumi, le karaage...

— Pas de salades, videz votre sac !

Je commence à m'énerver.

— On ne sort pas ensemble, il habite chez moi, c'est tout ! Patron, il y a plus urgent : on n'a pas encore vendu un seul bâtonnet de karaage !

— Hein ? Vous vivez ensemble ? s'exclame Izumi.

— Sérieux ? s'esclaffe le gérant d'un air ravi.

Sans plus un mot, je me précipite dans la chambre froide et retourne à la caisse, les bras chargés de poulet frit.

Leur attitude me choque. Je n'arrive pas à croire que même un gérant de konbini trouve plus d'intérêt à échanger des ragots avec ses employés qu'à appliquer la promo sur le poulet frit pour le faire passer de cent trente à cent dix yens. Quelle mouche les a piqués, tous les deux ?

Me voyant arriver avec le stock de karaage, Tuan vient à ma rencontre et me soulage de la moitié de mon chargement.

— Génial. On doit tout préparer ? demande-t-il dans un japonais encore hésitant.

— Oui, c'est la promo de la journée. L'objectif est d'en vendre cent. Lors de la dernière opération, on est montés jusqu'à quatre-vingt-onze, alors cette fois il faut liquider le stock. Sawaguchi, qui assure le service de nuit, a préparé de grosses pancartes colorées. On va les afficher et travailler d'arrache-pied. C'est la priorité numéro un du magasin pour aujourd'hui.

Les larmes me montent aux yeux, sans que je sache pourquoi. Tuan, lui, a du mal à suivre mon débit saccadé.

— D'arrache-quoi... ? demande-t-il en hochant la tête.

— On va concerter nos efforts pour donner le meilleur ! Tuan, allez me disposer tout ça !

— Tout ! C'est énorme ! acquiesce-t-il avant de se mettre au travail.

Je me dirige vers la vitrine du rayon fast-food pour y installer les affiches sur lesquelles Sawaguchi a passé deux heures supplémentaires hier soir. « OFFRE SPÉCIALE ! NOTRE DÉLICIEUX KARAAGE EST À 110¥ SEULEMENT ! »

Juchée sur un escabeau, je suspends au plafond un écriteau en papier à dessin coloré, sur lequel Sawaguchi a inscrit « CETTE FOIS, ON VISE LES 100 ! » Quelle merveilleuse pancarte.

Depuis que je travaille ici, nous avons toujours œuvré de concert pour atteindre les objectifs. Quelle mouche a bien pu piquer Izumi et le gérant aujourd'hui ?

J'interpelle les clients qui pénètrent dans la boutique.

— Bonjour, bienvenue chez SmileMart ! Aujourd'hui, les bâtonnets de karaage sont à cent dix yens pièce ! Ne manquez pas notre promotion !

Tuan, qui a fini de disposer le stock, joint sa voix à la mienne.

— Bâtonnets de karaage! Ne manquez pas notre promotion!

Le gérant et Izumi ne sont toujours pas sortis de la remise. Il me semble entendre leurs rires étouffés résonner derrière la porte.

— Pas chers, les bâtonnets de karaage! Ne manquez pas notre promotion!

Seul Tuan, bien qu'inexpérimenté, fait écho à mes appels. Je me raccroche à la voix de ce précieux camarade.

Après un détour par le supermarché du coin pour acheter des pousses de soja, du poulet et du chou, je rentre à la maison. Pas de trace de Shiraha.

Je mets les ingrédients à bouillir. Peut-être est-il sorti faire une course? C'est alors qu'un bruit retentit dans la salle de bains.

— Ah, Shiraha? Tu es là?

J'ouvre la porte et le trouve assis dans la baignoire, tout habillé, en train de regarder une vidéo sur une tablette.

— Que fais-tu là?

— Avant je restais dans le placard, mais il est infesté de parasites. Ici, au moins, il n'y a pas d'insectes, je suis plus tranquille, répond-il. Tu as encore fait des légumes bouillis?

— Tout juste. J'ai mis des pousses de soja, du poulet et du chou sur le feu.

— Je vois, marmonne-t-il tête baissée. Tu rentres bien tard. Je meurs de faim.

— Izumi et le gérant m'ont tenu la jambe après le service. Le gérant n'a pas quitté la boutique de la journée! Il t'invite à boire des coups, d'ailleurs.

— Minute... tu leur as parlé de moi?

— Désolée, ça m'a échappé. Ah, j'allais oublier. J'ai récupéré tes affaires, aussi.

— Je vois...

Il referme sa tablette et se mure dans le silence.

— Tu avais pourtant promis de garder le secret..., dit-il finalement.

— Désolée, je ne pensais pas à mal.

— Bof, c'est surtout pour toi que c'est ennuyeux.

— Pardon?

Je hoche la tête, perplexe.

— Ils veulent sans doute me traîner dehors pour me faire la leçon. Mais je refuse catégoriquement d'y aller. Je ne bougerai pas d'ici. Alors c'est sur toi que ça va retomber.

— Sur moi...?

— Pourquoi héberges-tu un chômeur, qui plus est un ancien collègue de ton petit boulot, à quand le mariage, les enfants, travaille mieux que ça, comporte-toi en adulte... Tout le monde va se mêler de tes affaires.

— Personne à la boutique ne m'a fait ce genre de réflexion jusqu'à présent.

— C'est parce que tu es trop différente. Une célibataire de trente-six ans, peut-être encore vierge, qui travaille au konbini, sans se ménager, jour après jour, sans aucune ambition de trouver un emploi stable alors qu'elle semble en bonne santé. Tu n'es qu'un corps étranger, trop répugnante pour qu'on lui parle franchement. Mais dans ton dos ils ne se privent pas. À partir de maintenant, ils vont te le dire en face.

— Vraiment…?

— Les gens ordinaires n'aiment rien tant que juger ceux qui sortent de la norme. Même si c'est moi qu'ils visent, ils vont tous se mettre à te critiquer de plus en plus. C'est pourquoi tu n'as d'autre choix que de continuer à t'occuper de moi.

Il pousse un petit rire.

— J'ai toujours voulu me venger de tous ces salauds qui n'autorisent que les femmes à jouer les parasites… J'étais déterminé à devenir un parasite moi-même. Je ne te laisserai aucun répit!

Je ne comprends pas un traître mot de son baratin.

— Shiraha, tu ne veux pas manger ta pâtée, plutôt? Je crois que c'est bientôt prêt.

— Je mangerai ici. Sers-moi.

Je remplis une assiette de riz blanc et de légumes bouillis, que je lui apporte dans la salle de bains.

— Ferme la porte.

Je m'exécute et commence à manger. Il y a long-temps que je n'ai pas été seule à ma petite table.

Le bruit de ma propre mastication m'envahit les oreilles. Jusqu'à présent, l'esprit bercé par les sons de la supérette, ça ne me dérangeait pas. Je ferme les yeux et visualise le magasin. Le chant du konbini renaît derrière mes tympans.

Il coule en moi comme de la musique. Ondu-lant au son de cette mélodie gravée en moi, je m'empiffre de la pitance disposée devant moi, en préparation de la journée de travail qui m'at-tend le lendemain.

Bien vite, la nouvelle que je vois Shiraha se répand dans la boutique. « Comment va l'ami Shiraha ? Il ne veut pas venir prendre un verre ? » me demande systématiquement le patron.

Ce huitième gérant dont j'admirais tant le sérieux et que je considérais comme mon meilleur allié au konbini ne me parle plus que de Shiraha.

Jusqu'à récemment encore, quand nous nous croisions, nous avions des conversa-tions typiques d'un gérant avec son employée, comme sur la hausse des ventes de viennoise-ries au chocolat, l'afflux chaque soir de clients habitant dans la nouvelle résidence inaugurée à proximité, l'influence qu'aurait une publicité télévisée pour un produit qui devait sortir deux semaines plus tard, ce genre de choses.

Hélas, il semblerait que dans sa tête je sois redevenue une femelle d'humain avant d'être une employée.

— Furukura, si vous avez le moindre problème, n'hésitez pas à m'en parler !

— Mais oui, mais oui, venez boire un verre avec nous, même seule ! Bien sûr, ce serait sympa que Shiraha vienne aussi ! Encouragez-le de ma part !

Même Sugehara, qui disait détester Shiraha, y va de son couplet.

— Moi aussi, je veux voir Shiraha ! Invitez-le donc !

Je découvre soudain qu'ils ont l'habitude d'aller prendre des verres ensemble après le travail — y compris Izumi, pourtant mère de famille, qui confie ses enfants à son mari pour se joindre à la fête, semble-t-il.

— J'aimerais tellement boire avec vous rien qu'une fois, Furukura !

Tous semblent guetter avec impatience le moment où Shiraha se laissera piéger devant un verre, afin de pouvoir le réprimander tout leur saoul.

En les voyant me harceler ainsi, je commence à comprendre pourquoi il préfère se cacher aux yeux du monde.

Quand il l'a viré du konbini, le gérant est allé jusqu'à sortir son dossier pour s'en moquer avec Izumi : « Regardez, là, il a quitté le système public pour aller dans un lycée professionnel, et même là, il a décroché tout de suite ! » « Comment, il n'a que le certificat d'aptitude en anglais ? C'est son seul diplôme ? »

Tous s'en donnent à cœur joie pour le juger. Comme si le sujet était plus important que la promo sur les onigiri (tous à cent yens, exclusif), la mise en vente des nouvelles francforts au fromage, ou la distribution de coupons de réduction sur tous les accompagnements.

Leurs voix discordantes viennent se mêler au chant de la boutique. Tous ont beau produire la même mélodie, il n'en résulte qu'une affreuse cacophonie, comme si chacun avait soudain sorti de sa poche un instrument en piteux état pour se mettre à jouer.

Celui que je redoute le plus, c'est Tuan, le nouveau. Il s'est progressivement intégré au magasin et s'entend bien avec tout le monde. En temps normal, cela ne m'aurait posé aucun problème, mais dans le contexte actuel il commence à dépasser les bornes.

D'ordinaire pourtant si sérieux, Tuan s'interrompt dans la préparation des francforts pour m'adresser la parole.

— Votre mari a travaillé ici ?

Les inflexions traînantes d'Izumi ont déteint sur lui, semble-t-il. Je m'empresse de lui répondre.

— Ce n'est pas mon mari. Mais il y a plus important : comme il fait chaud aujourd'hui, on

114

risque de vendre beaucoup de boissons fraîches. Veillez à bien réapprovisionner les eaux minérales au fur et à mesure, ce ne sont pas les cartons qui manquent dans la remise. Les briquettes de thé partiront vite aussi, surveillez bien le rayon.

— Vous ne voulez pas d'enfant, Furukura ? Ma sœur est mariée, elle a trois enfants. Ils sont encore petits, ils sont très mignons...

Tuan sort peu à peu de son rôle d'employé. Nous avons beau continuer de travailler vêtus de nos uniformes identiques, je n'ai plus l'impression d'avoir affaire à des collègues.

Seuls les clients continuent de fréquenter la boutique comme ils l'ont toujours fait. Dans ce climat déplaisant où toutes les autres cellules de l'organisme dont je fais aussi partie se transforment progressivement en « membres mâles et femelles de la communauté », seuls les acheteurs continuent de me traiter comme une vendeuse.

Un mois s'est écoulé depuis notre conversation téléphonique lorsque ma petite sœur vient réprimander Shiraha.

Elle est de nature douce et gentille. « Il faut que je mette les points sur les i, pour ton bien », m'a-t-elle pourtant annoncé, déterminée. Rien ne pouvait la dissuader.

J'ai suggéré à Shiraha de faire un tour dehors, mais lui n'en avait que faire. Il ne se doutait pas du savon qu'elle s'apprêtait à lui passer.

— J'ai confié Yûtarô à mon mari, pour une fois, m'a-t-elle expliqué en arrivant.

— Je vois. Fais comme chez toi, même si ce n'est pas bien grand.

Il y a longtemps que je n'ai pas vu Asami sans son bébé dans les bras. Le tableau semble incomplet.

— Ce n'était pas la peine de te déplacer, lui dis-je. Tu n'avais qu'à m'appeler, je serais passée te voir, comme d'habitude.

— Peu importe, j'avais envie de te parler entre quat'z-yeux... Je ne te dérange pas, au moins ? demande-t-elle avant de balayer la pièce du regard. Dis-moi, l'homme avec qui tu vis... il n'est pas là aujourd'hui ? Peut-être est-il sorti, par politesse... ?

— Hmm ? Si, il est là.

— Hein ?! Où... où est-il ? Je ne me suis même pas présentée...

— Ce n'est pas très grave, lui dis-je alors qu'elle se lève. Mais ça va bientôt être l'heure de sa pâtée...

Je rejoins l'évier de la cuisine pour préparer une assiette de riz, agrémenté de pommes de terre et de chou bouillis, que je porte dans la salle de bains.

Installé sur une pile de coussins dans la baignoire, Shiraha, qui tripote son smartphone, accepte sa pitance sans dire un mot.

— Qu'est-ce qu'il fait là ? Il prend son bain ?

— Comme la pièce à vivre est trop petite, il a élu résidence dans la baignoire.

Devant l'air interloqué de ma sœur, je lui expose la situation de mon mieux.

— Cet immeuble est très vieux, tu sais. Shiraha préfère utiliser les bains publics. Il me donne un peu de monnaie pour la douche et la nourriture. Bien sûr, ce n'est pas idéal, mais sa présence me facilite les choses. Ça a l'air de réjouir tout le monde, on ne cesse de me féliciter de toutes parts. Chacun en tire les conclusions qu'il veut, sans interférer. C'est pratique.

Elle baisse la tête. A-t-elle compris mes explications ?

— J'y songe ! J'ai acheté des flans invendus à la boutique hier. Tu en veux ?

— Je ne m'attendais pas à ça..., dit-elle d'une voix tremblante.

Elle semble à deux doigts de pleurer.

— Que se passe-t-il ? Ah, je t'apporte des mouchoirs tout de suite ! m'empressé-je de lui dire, façon Sugehara.

— Keiko, quand vas-tu enfin guérir... ?

Elle s'apprête à ajouter quelque chose, avant de détourner le visage.

— Je suis à bout... Que faut-il faire pour que tu deviennes normale ? Combien de temps dois-je encore tenir ?

— Tenir, dis-tu ? Pourquoi es-tu venue aujourd'hui, si c'était si dur ? lui demandé-je naïvement.

Elle baisse la tête, les joues baignées de larmes.

— Keiko, je t'en supplie, laisse-moi t'emmener chez le psy... C'est la seule solution pour te guérir.

— J'y suis déjà allée petite, mais ça n'a rien donné. Et puis je ne sais même pas de quoi je dois guérir.

— Tu n'as cessé de te montrer de plus en plus bizarre depuis que tu travailles à la supérette. Ta façon de parler a changé... même à la maison, tu sembles faire de la réclame, ton expression n'a rien de naturel... Je t'en supplie, tâche de redevenir normale.

Elle sanglote de plus belle.

— Alors, si je quitte mon emploi, je serai guérie ? Ou dois-je continuer à travailler ? Pareil si je mets Shiraha dehors ? Ou vaut-il mieux le garder à la maison ? Je ferai tout ce que tu me diras de faire. Explique-moi tout comme il faut !

— Honnêtement, je n'en sais plus rien..., se contente-t-elle de me répondre en hoquetant.

Je profite de son silence pour aller chercher un flan dans le réfrigérateur, que je mange en la regardant pleurer. Ses larmes sèchent bientôt.

La porte de la salle de bains s'ouvre alors. Surprise, je me retourne et tombe nez à nez avec Shiraha.

— Toutes mes excuses. À vrai dire, Furukura et moi-même sommes un peu fâchés en ce moment. J'ai dû faire bien mauvaise impression.

Il est drôlement loquace, tout à coup. Je pose sur lui un regard circonspect.

— C'est ma faute, j'ai contacté mon ex sur Facebook, nous sommes allés boire des verres. Keiko s'est mise en colère, elle m'a dit qu'elle ne voulait plus dormir avec moi et m'a enfermé dans la salle de bains.

Ma sœur le dévisage un moment, comme si elle ruminait ses paroles, avant de le contempler comme le Messie.

— Ah, je vois... C'est ça... c'était donc ça...

— Quand j'ai su que vous alliez passer aujourd'hui, j'ai préféré me cacher. J'ai cru que vous veniez me tirer les oreilles.

— Je comprends... Bien sûr! Quand elle m'a dit qu'elle voyait un chômeur, je me suis fait du souci, j'ai cru qu'elle s'était laissé embobiner par un type louche... C'était une histoire d'adultère! En tant que petite sœur, je ne peux pas laisser passer ça!

Elle a beau le réprimander, elle semble soulagée.

Je vois. Les bêtises, ça vous met dans le bon camp. Si bien qu'elle préfère de loin avoir une aînée « normale », même avec des problèmes, qu'une sœur d'une autre planète à qui il n'arrive rien de mauvais. Ainsi, j'appartiendrais au monde ordinaire, celui qu'elle comprend.

— Shiraha, je suis vraiment fâchée, vous savez!

Il me semble que ses inflexions ont changé,

imperceptiblement. Quel genre de personnes forment son entourage à présent? Sans doute parlent-elles ainsi.

— Je sais bien, répond Shiraha. Ça va me prendre du temps, mais j'ai commencé à chercher un travail. Et bien sûr, j'aimerais officialiser notre relation dès que possible...

— Tant que ce ne sera pas fait, je ne peux encore rien dire aux parents!

Ils doivent déjà être à bout. Personne n'a envie que je continue à travailler comme vendeuse.

Ma sœur, autrefois si heureuse que j'aie décroché un emploi, trouve à présent normal que je ne travaille pas. Si ses larmes ont séché, son nez, lui, coule toujours. Elle continue de darder sur Shiraha un regard furieux, sans se soucier de sa morve. Mon flan entamé dans les mains, je les regarde tour à tour.

De retour du travail le lendemain, je trouve une paire de chaussures rouges dans l'entrée de l'appartement.

Asami est-elle repassée? Shiraha ne serait quand même pas en train de recevoir une maîtresse...? Toute à ma réflexion, je pénètre dans le séjour, au centre duquel Shiraha est assis à la petite table. Face à lui, une femme à la chevelure châtain le fusille du regard.

— Pardon, mais... qui êtes-vous? lancé-je.

Elle se tourne vers moi. Elle est encore jeune, d'allure un peu sévère.

— Est-ce que vous vivez ensemble, tous les deux?

— C'est juste.

— Je suis l'épouse de son frère cadet. Il s'est enfui de sa colocation sans payer sa part du loyer. Comme son portable restait déconnecté, ses colocs ont tenté de le joindre dans la maison familiale à Hokkaidô. Il ignorait même nos appels. Finalement, comme je devais me rendre à Tôkyô pour une réunion d'anciens de mon lycée, ma belle-mère m'a demandé d'aller rembourser sa part du loyer et de présenter des excuses en son nom. J'étais sûre que ça finirait comme ça! Ce n'est qu'un parasite, qui n'a jamais eu l'intention de subvenir à ses propres besoins. Mais que ce soit bien clair : j'exige d'être remboursée!

Sur la table gît un papier intitulé « reconnaissance de dette ».

— Mets-toi au travail et rembourse-nous. Je n'arrive pas à croire que j'aie dû venir jusqu'ici pour réparer tes bêtises!

— Mais... je ne comprends pas... Comment m'as-tu retrouvé? demande Shiraha d'une voix étranglée.

Ainsi donc, quand il disait vouloir se cacher, c'était tout simplement pour fuir ses dettes?

La belle-sœur s'esclaffe d'un rire méprisant.

— Rappelle-toi, quand tu as fui ta colocation, tu es venu nous emprunter de l'argent.
À l'époque, déjà, j'avais un mauvais pressenti-
ment. J'ai installé une application de géoloca-
lisation sur ton portable. Je comptais t'attraper
quand tu sortirais pour aller au konbini.

Eh bien. Elle ne lui faisait vraiment pas
confiance.

— Enfin... j'ai vraiment l'intention de te rembourser..., gémit Shiraha.

— Manquerait plus que ça! Passons. Quelle
est ta relation avec cette personne? demande-
t-elle en me jetant un regard en biais. Tu n'as
pas de travail mais tu as une petite amie? Si
tu as le temps de batifoler, cherche plutôt un
emploi!

— On sort ensemble en vue de notre mariage.
Je m'occupe de la maison pendant qu'elle
cherche un travail. Dès qu'elle aura été embau-
chée, je pourrai te rembourser.

Hein? Shiraha a une copine? Je repense à
son échange de la veille avec ma sœur. Ah, c'est
donc de moi qu'il parle?

— C'est vrai, ce mensonge? demande la belle-
sœur avec un regard circonspect. Qu'est-ce que
vous faites dans la vie?

— Ah, euh, je travaille dans un konbini, à
temps partiel.

Elle écarquille soudain les yeux, les narines et
la bouche. J'ai déjà vu cette tête quelque part.

— Hein... ? s'exclame-t-elle, incrédule. Et vous vivez à deux comme ça? Alors qu'il est sans emploi?

— Euh... oui.

— Mais vous ne pouvez pas continuer comme ça! Vous allez vous tuer! Et pardon, je sais que c'est notre première rencontre, mais... vous n'êtes plus toute jeune. Pourquoi occupez-vous toujours un petit boulot?

— C'est-à-dire que... j'ai passé toutes sortes d'entretiens d'embauche, mais je ne peux travailler ailleurs que dans un konbini.

Elle me regarde avec stupéfaction.

— Quelque part, ça vous ressemble... Bien sûr, je ne suis qu'une parfaite étrangère, mais si je puis me permettre, recherche d'emploi ou mariage, il faut choisir. Enfin, vous pouvez faire les deux si ça vous chante. Mais vous allez finir par mourir de faim, à vivre ainsi dans l'insouciance.

— Je vois...

— Je ne comprendrai jamais comment on peut s'amouracher d'un type pareil, mais essayez au moins de décrocher un emploi correct. Franchement, jamais vous n'allez pouvoir survivre à deux sur un salaire de temps partiel!

— C'est vrai.

— Votre entourage ne dit rien? Est-ce que vous avez une assurance, au moins? Moi, si je dis tout ça, c'est pour vous...! Je ne vous connais pas, mais vous ne pouvez pas continuer à vivre comme ça !

En voyant cette belle-sœur pleine de sollicitude, je me dis qu'elle semble une bien meilleure personne que ce que m'a décrit Shiraha.

— On en a déjà discuté tous les deux, prétend-il. En cas de grossesse, je la soutiendrai. Je veux monter mon affaire sur le Net. Si on a un enfant, je chercherai un emploi pour devenir le pilier du foyer.

— Mets-toi au travail toi aussi, au lieu de rêver ! Enfin, ça vous regarde tous les deux, je ne vais pas m'en mêler...

— Elle va quitter son temps partiel tout de suite. Et chercher assidûment un emploi stable. C'est déjà décidé.

— Vraiment..., laisse-t-elle échapper, sceptique. Bon, si tu as une partenaire, c'est qu'il y a déjà du progrès... Je ne vais pas vous déranger plus longtemps. Je rentre.

Elle se lève.

— Je vais parler de tout ça à belle-maman, y compris de la somme que tu me dois. Ne songe même pas à te défiler, ajoute-t-elle avant de s'en aller.

Shiraha referme la porte derrière elle et écoute ses pas s'éloigner avant de laisser éclater sa joie.

— Yes ! Je m'en suis bien tiré ! Je devrais être tranquille quelque temps. De toute façon, je ne risque pas de l'engrosser, celle-là !

Il m'attrape par les épaules, la mine exaltée.

— Furukura, tu es une chanceuse. Tu as beau cumuler un triple handicap, vierge, célibataire et travailleuse à mi-temps, grâce à moi tu vas pouvoir entrer dans la société des gens mariés, les gens te croiront sexuellement active, et rien ne te distinguera plus de ton prochain. Tu seras la meilleure version de toi aux yeux des autres. Hourra!

C'est à peine si je l'écoute, épuisée que je suis après être rentrée tôt pour me retrouver embringuée dans ses histoires de famille.

— Dis, ça te dérange si je me lave ici aujourd'hui? lui demandé-je.

Il sort son futon de la baignoire. Je prends une douche bien méritée.

Debout de l'autre côté de la porte de la salle de bains, il ne cesse de déblatérer tout du long.

— Tu as vraiment de la chance de m'avoir rencontré, Furukura. Sans moi, tu aurais fini par mourir toute seule dans ton coin! En échange, je te demande de me cacher pour toujours.

Je laisse sa voix s'éloigner et me concentre sur le bruit de l'eau qui coule. Peu à peu, le chant du konbini s'efface de mon esprit.

Je ferme le robinet, mettant fin au murmure de l'eau cascadant sur mon corps. Aussitôt, un silence que je n'avais plus connu depuis longtemps se fait.

Jusque-là, les bruits de la supérette résonnaient toujours dans mes oreilles. Il n'en reste plus rien à présent.

Le silence s'étire telle une mélodie inconnue, interrompu seulement par les craquements du plancher qui grince sous le poids de Shiraha.

Bientôt, ma dernière journée au konbini arrive, et mes dix-huit années de travail semblent ne plus être qu'un songe.

Le matin dit, je me rends à la boutique dès six heures et contemple les enregistrements des caméras de surveillance.

À la caisse, Tuan scanne promptement canettes de café et sandwiches avant d'annoncer le total avec aisance.

Même si toute démission doit faire l'objet d'un préavis d'un mois, j'ai pu m'en tirer avec deux semaines seulement.

Je repense au moment où j'ai annoncé que je voulais arrêter. Le gérant avait l'air si heureux.

— Alors, ça y est? Shiraha se comporte enfin en homme?

Lui qui passe son temps à se plaindre de devoir sans cesse engager de nouveaux temps partiels à cause du manque d'effectifs, voilà qu'il se réjouit. À vrai dire, ce n'est même plus le gérant que j'ai en face de moi. Juste un mâle de l'espèce humaine, avide de voir s'accoupler un de ses congénères.

— J'ai entendu la nouvelle! Félicitations! s'exclame Izumi.

Dire qu'il y a quelques jours encore elle pestait contre les employés qui abandonnent subitement leur petit boulot pour trouver un poste stable.

J'ôte mon uniforme et mon badge, que je rends au chef.

— Merci de tout ce que vous avez fait pour moi.

— Vous allez nous manquer... Vous avez fait du bon travail!

Après dix-huit ans passés dans cette boutique, cette fois, c'est vraiment la fin. À ma place, une jeune fille originaire du Myanmar tient la caisse et scanne les produits. Du coin de l'œil, je regarde son double sur la vidéosurveillance. Je n'apparaîtrai plus sur cet écran.

— C'était un vrai plaisir de travailler avec vous, mademoiselle Furukura.

Comme cadeau de départ, Izumi et Sugehara m'offrent un ensemble de baguettes haut de gamme, tandis que l'employée de nuit me donne des biscuits en conserve.

En dix-huit ans, j'en ai vu partir, des collègues, laissant un vide aussitôt comblé par une nouvelle recrue. Ma place est d'ores et déjà pourvue, elle aussi, et dès demain le konbini reprendra sa routine comme si de rien n'était.

Le scanner à code-barres, la machine pour

passer les commandes, le balai-serpillière, l'alcool à désinfecter, le plumeau que je gardais coincé dans ma ceinture... autant d'ustensiles du quotidien que je ne toucherai plus.

— Enfin, c'est un départ heureux ! lance le gérant.

Izumi et Sugehara acquiescent.

— Tout à fait ! N'hésitez pas à nous rendre visite !

— Mais oui, mais oui, vous pouvez toujours revenir comme cliente. Passez avec Shiraha, on vous offrira des francforts !

Elles me donnent leur bénédiction en riant.

Aux yeux de tous, j'ai pris la forme d'une personne normale. Si inquiétant que semble leur enthousiasme, je me contente de les remercier.

Je les salue, ainsi que l'employée de nuit, puis sors de la boutique. Dehors, il fait encore jour, même si la lumière naturelle ne peut rivaliser avec celle du konbini.

Je n'arrive pas à m'imaginer autrement qu'en vendeuse de supérette. Après un dernier salut à l'aquarium de lumière, je prends la direction du métro.

À mon retour, Shiraha m'attend, fébrile.

D'ordinaire, j'aurais mangé mon dîner avant de me mettre au lit, afin de restaurer mes forces en vue du lendemain. Même durant mes heures de repos, mon corps appartenait au konbini. À présent libérée de ce carcan, je ne sais plus quoi faire.

Dans le salon, Shiraha consulte frénétiquement les offres d'emploi en ligne, mon curriculum vitae étalé sur la table.

— La majorité des offres sont soumises à une limite d'âge, mais en cherchant bien on finit par trouver. Personnellement, j'ai toujours détesté éplucher les annonces d'embauche, mais là, comme ce n'est pas pour moi, c'est plutôt rigolo à faire !

Le cœur lourd, je consulte l'horloge. 19 heures. Même quand je ne travaille pas, mon organisme reste relié à la supérette. C'est le moment où l'on dispose les plats préparés du soir, où les employés du soir prennent leur service et contrôlent les stocks, où on nettoie le sol. À chaque heure de la journée correspond une scène de la vie du konbini.

Sawaguchi doit être en train d'écrire les pancartes pour mettre en avant les nouveautés de la semaine prochaine, et Makimura de disposer les ramen instantanés en rayon. Et pourtant, me voilà sortie de cette chronologie.

Dans la pièce résonnent toutes sortes de sons : la voix de Shiraha, les bruits du réfrigérateur... Mes oreilles, elles, sont vides. Le chant du konbini, dont je suis à présent séparée, s'est tu. Je suis coupée du monde.

— Comme je m'en doutais, un petit boulot

au konbini, ce n'est pas assez solide pour me nourrir. Mais entre la travailleuse à temps partiel et le chômeur, c'est moi qu'on va critiquer. La société, coincée à l'ère Jômon, s'attaque toujours d'abord aux hommes. Mais si tu trouves un emploi, on cessera de me harceler, et ça te sera aussi bénéfique. D'une pierre deux coups !

— Dis, Shiraha, il n'y a rien à manger aujourd'hui. Ça t'ennuie de dîner dehors ?

— Hein ? Ça ne me dérange pas, mais...

Il a l'air désagréablement surpris que je n'aie pas pris la peine de faire les courses, mais un billet de mille yens suffit à le faire taire.

Cette nuit-là, incapable de trouver le sommeil, j'abandonne mon futon pour sortir sur la véranda.

En temps normal, je devrais déjà dormir. Mon corps serait en train de se restaurer pour travailler au konbini le lendemain. Mais à présent je ne sais même plus pourquoi je dois me reposer.

Comme j'ai l'habitude d'étendre le linge dans la pièce principale, la véranda est sale et la fenêtre couverte de moisissure. Je m'assieds par terre, sans me soucier de salir ma robe de chambre.

Je consulte l'horloge de l'appartement à travers l'épaisse vitre. Trois heures du matin.

Ça doit être l'heure de la pause pour les employés de nuit. Dat et Shibasaki, l'étudiant expérimenté qui a démarré la semaine dernière, en profitent sans doute pour disposer les réassorts.

Il y a longtemps que je n'ai pas veillé si tard.

J'inspecte mon corps. Suivant le règlement du konbini, j'ai les ongles courts, les cheveux propres et non teints. Sur le dos de ma main, une marque témoigne de la brûlure que je me suis faite en préparant des croquettes frites il y a trois jours.

Il fait encore frais sur la véranda, en dépit de l'été imminent. Mais je n'ai pas envie de regagner l'intérieur. Je reste là à contempler le ciel indigo d'un œil distrait.

Incommodée par la chaleur et l'insomnie, j'ouvre les yeux.

Quel jour sommes-nous? Quelle heure est-il? Je n'en ai plus la moindre idée. À tâtons, j'attrape mon téléphone portable pour consulter l'affichage. Deux heures. Est-ce le matin ou l'après-midi? Je sors du placard, hagarde. La lumière du jour transperce le rideau : c'est déjà l'après-midi.

Ça fera bientôt deux semaines que j'ai quitté le konbini. Il me semble à la fois qu'une éternité s'est écoulée et que le temps s'est arrêté.

Pas de trace de Shiraha. Peut-être est-il sorti acheter à manger. Sur la table pliante gît l'emballage vide des ramen instantanés que j'ai mangés la veille.

Depuis que j'ai démissionné, je ne sais même plus à quelle heure me lever, je dors quand j'ai sommeil, je mange au réveil. Ma seule activité consiste à rédiger mon CV selon les ordres de Shiraha.

Privée de repères, je ne sais plus comment me comporter. Jusque-là, même quand je ne travaillais pas, mon corps appartenait toujours au konbini. Je dormais afin d'être en forme, je mangeais sainement pour entretenir ma santé. Ça faisait partie de mon travail.

Shiraha, lui, continue de dormir dans la baignoire et passe ses journées dans la pièce principale à manger et consulter les offres d'emploi. Il est plus actif que du temps où il travaillait lui-même. Quelle que soit l'heure du jour ou de la nuit, je dors sur mon futon déployé dans le placard, dont je ne sors que pour assouvir ma faim.

Je me rends compte que j'ai soif. J'ouvre le robinet pour me servir un verre d'eau, que je vide d'un trait. Je me rappelle soudain avoir entendu dire que l'eau du corps humain mettait deux semaines pour se renouveler complètement. L'eau que j'achetais tous les matins à la supérette a déjà déserté mon organisme. Mon humidité corporelle, les larmes qui lubrifient mes globes oculaires ne doivent peut-être déjà plus rien au konbini.

Mes doigts qui serrent le verre, ma main et mon bras sont recouverts de poils noirs. Avant, je prenais soin de mon apparence pour le travail; à présent, je ne ressens plus le besoin de m'épiler. Dans le miroir dressé, j'aperçois un embryon de moustache au-dessus de ma lèvre supérieure.

Je ne me douche plus qu'un jour sur trois, poussée par Shiraha, dans les bains publics que je fréquentais avant quotidiennement.

Autrefois guidée par la logique du konbini, je n'ai plus le moindre repère. Je ne saurais plus dire si mon comportement est rationnel ou pas. J'ai perdu jusqu'à la boussole qui me guidait du temps où je n'étais pas encore vendeuse à la supérette.

Soudain, une mélodie électronique retentit : c'est le téléphone de Shiraha, posé par terre. Il a dû l'oublier au moment de sortir. Je l'ignore tout d'abord, mais il n'en finit pas de sonner.

Une urgence, peut-être? Je consulte l'affichage : « LA MÉGÈRE ». Instinctivement, je touche l'écran pour entendre les vociférations de sa belle-sœur.

— *Combien de fois dois-je t'appeler pour que tu décroches?! Je sais où tu te caches, je n'hésiterai pas à venir te chercher!*

— Bonjour, Furukura à l'appareil...

Elle change de ton immédiatement.

— *Ah, c'est vous?*

— Je crois que Shiraha est sorti s'acheter à manger. Je doute qu'il revienne tout de suite.

— *Vous tombez bien. Vous pourriez lui transmettre un message? Il m'a remboursé trois mille yens la semaine dernière, et depuis plus rien. Qu'est-ce que ça veut dire? Trois mille yens? Il se fiche de moi?*

— Ah, désolée.

— *Ressaisissez-vous un peu! Il a signé une reconnaissance de dette, je vous rappelle. Dites-lui que j'irai jusqu'au procès, s'il le faut,* éructe-t-elle, excédée.

— Entendu, je lui dirai quand il rentrera.

— *Sans faute! Il est très mesquin dès qu'il s'agit d'argent, celui-là!*

Derrière elle, j'entends les pleurs d'un bébé.

Une idée me vient soudain : privée des repères du konbini, sans doute devrais-je m'en remettre à mon instinct primaire. Puisque je suis un animal appelé humain, peut-être qu'en faisant un enfant, afin de perpétuer l'espèce, je pourrais retrouver le droit chemin.

— Dites, j'ai une question... C'est mieux pour l'humanité de faire des enfants?

— *Pardon?* réplique-t-elle, interloquée.

Je m'explique doctement :

— Puisque nous sommes des animaux, nous devons nous multiplier. Ne croyez-vous pas que nous devrions, Shiraha et moi, contribuer à l'accroissement de l'espèce en nous accouplant, nous aussi?

Le silence s'installe un moment. La ligne a-t-elle été coupée? Il me semble sentir un souffle s'échapper du téléphone. Elle pousse un profond soupir.

— *Ne vous fichez pas de moi... Un temps partiel et un chômeur! Comment comptez-vous vous y prendre? Arrêtez un peu! Le meilleur pour l'humanité serait de ne pas propager vos gènes!*

— Ah, d'accord.

— *Gardez vos gènes pourris pour vous jusqu'à la mort et emportez-les au paradis, en prenant soin de ne pas en laisser la moindre trace derrière vous!*

— Entendu..., acquiescé-je.

Quel raisonnement remarquable. Elle a de la cervelle, cette belle-sœur.

— *Je m'abrutis à parler avec vous. Quelle perte de temps! Je vais raccrocher, si ça ne vous dérange pas. Et n'oubliez pas de lui dire pour sa dette!* dit-elle avant de couper la communication.

Si j'ai bien compris, il vaut mieux pour l'humanité que je ne m'accouple pas avec Shiraha. N'ayant pas d'expérience dans ce domaine, je suis quelque peu soulagée, car je n'étais pas pressée d'essayer. Je prendrai soin, jusqu'à la fin de mes jours, de ne pas disperser mes gènes par inadvertance, afin qu'ils disparaissent avec moi. Mais cette décision n'arrange rien à ma confusion. Que suis-je censée faire de ma vie?

Un bruit de porte annonce le retour de Shiraha, un sac en plastique de la boutique à cent yens voisine à la main. Comme je ne lui prépare plus sa pâtée quotidienne, il a pris l'habitude d'y acheter des surgelés.

— Ah, tu t'es levée?

Il y a longtemps qu'on n'a plus déjeuné ensemble, tous les deux, dans cette pièce exiguë. Le cuiseur de riz tourne à plein régime ces derniers temps; je me contente d'en ingurgiter à mon réveil, avant de retourner me coucher.

On partage un repas, par la force des choses. Comme accompagnement, il a dégelé des beignets vapeur et des nuggets de poulet, que nous posons sur des assiettes et mangeons sans un mot.

Je ne sais même pas pourquoi je me nourris. Je mastique machinalement ma pitance, incapable d'avaler.

Arrive le jour de mon premier entretien d'embauche. À en croire Shiraha, fier de lui, cette opportunité relève du miracle pour moi, qui n'ai vécu jusque-là que de petits boulots. Près d'un mois s'est écoulé depuis que j'ai quitté le konbini.

J'enfile un tailleur-pantalon qui n'avait plus vu la lumière du jour depuis dix ans et arrange mes cheveux.

Il y a longtemps que je n'ai pas mis le pied dehors. Les maigres économies constituées grâce à mon petit boulot ont singulièrement réduit.

— Allez, Furukura, on y va.

Enthousiaste, Shiraha m'accompagne jusqu'au lieu de rendez-vous, où il m'attendra le temps de l'entrevue.

Dehors, l'été s'est enfin installé.

Nous prenons le train. Une éternité que je n'étais pas montée à bord.

— On est arrivés un peu tôt, on a plus d'une heure devant nous, remarque-t-il.

— Ah bon?

— Je vais faire un tour aux toilettes. Attends-moi ici, dit-il avant de sortir.

Alors que je cherche des cabinets des yeux, je m'aperçois qu'il est entré dans un konbini.

Je le suis pour aller aux toilettes moi aussi. La porte automatique s'ouvre. Un carillon familier m'accueille.

— Bienvenue dans notre magasin! lance la jeune femme installée derrière la caisse.

Il y a la queue à l'intérieur. Je jette un œil à l'horloge : bientôt midi. Pile le début du rush de la mi-journée.

Derrière le comptoir se tiennent deux jeunes femmes, dont l'une arbore un badge « EN FORMATION ». Chacune s'affaire derrière sa machine.

C'est un quartier de bureaux, si bien que la clientèle est principalement constituée d'hommes en costume et de femmes en tailleur.

En cet instant, le chant du konbini renaît dans mes oreilles.

Les sons de la boutique retentissent, chargés de sens. Autant de vibrations qui me parlent au niveau cellulaire et résonnent en moi comme de la musique.

Je devine d'instinct, sans réfléchir, ce dont le magasin a besoin.

Avec un sursaut, j'avise une vitrine ouverte, où une affiche annonce : « Aujourd'hui, toutes les pâtes sont à 30 yens ! » Mais les pâtes en question, perdues au milieu des *yakisoba* et autres *okonomiyaki*, peinent à se dégager du lot.

Ça ne va pas du tout, me dis-je alors que je les dispose bien en évidence à côté des nouilles froides. Une cliente me regarde, interloquée. Je lui adresse un : « Bienvenue dans notre magasin ! » Apparemment satisfaite, elle attrape une portion de pâtes à la rogue de colin que je viens de ranger.

Alors que je pousse un soupir de soulagement, le rayon des chocolats attire mon attention. Je sors précipitamment mon téléphone pour vérifier la date. Mardi, le jour des nouveautés. Le jour le plus important de la semaine pour les employés de konbini. Comment ai-je pu l'oublier ?

Je manque de m'étrangler en remarquant que les nouveaux chocolats sont disposés sur le rayon inférieur des étagères. Je n'arrive pas à croire qu'on ait placé ce gâteau — pourtant sur toutes les lèvres et en tête des ventes il y a six mois —, qui plus est dans une édition limitée au

138

chocolat blanc, dans un endroit aussi discret. Je m'empresse de réordonner le présentoir, déplaçant les articles peu demandés pour installer le gâteau vedette sur les trois rangées supérieures, bien en face de la pancarte « NOUVEAUTÉ ! ».

La caissière m'évalue d'un œil méfiant et surveille mes mouvements, coincée derrière son comptoir. Pointant un badge imaginaire sur ma poitrine, je lui adresse un salut, en prenant soin de ne pas déranger les clients.

Soulagée, elle me répond d'un signe de tête avant de reprendre sa tâche. Avec mon tailleur, elle a dû me prendre pour une responsable venue de la maison mère. La sécurité laisse à désirer, si elle se laisse aussi facilement duper. Et si j'étais une personne mal intentionnée et en profitais pour me servir dans le coffre de la remise ?

Je la mettrai en garde plus tard, me dis-je en faisant volte-face.

— Ah, regarde ! Ils ont sorti la version chocolat blanc ! s'exclame une jeune fille en brandissant le gâteau que je viens de disposer.

— J'ai vu la pub aujourd'hui ! On l'essaye ? renchérit son amie.

Pour la clientèle, le konbini ne doit pas seulement être un endroit où acheter le nécessaire, mais aussi un lieu de découverte, de plaisir et de joie. Acquiesçant avec satisfaction, je fais un tour rapide du magasin.

C'est une journée chaude, et pourtant l'eau minérale est mal approvisionnée. Les bouteilles de deux litres de thé d'orge se vendent bien aussi par ce temps, mais il n'en reste qu'une, dans un endroit reculé.

J'écoute le chant du konbini. Que veut-il? Que souhaite-t-il devenir? Il me semble le comprendre de façon concrète.

La caissière profite d'une interruption dans le flot des clients pour venir me parler.

— Génial, on dirait de la magie! s'exclame-t-elle en admirant le rayon de chips que je viens d'arranger. Un des temps partiels est absent aujourd'hui, je n'ai pas réussi à joindre le gérant. J'étais bien embarrassée, toute seule avec les deux nouvelles...

— Je vois. Mais je vous ai regardée tenir la caisse, vous êtes très aimable, c'est parfait. Vous devriez profiter du calme pour réapprovisionner les boissons fraîches. Côté surgelés, par cette chaleur, les glaces à l'eau se vendent mieux, vous auriez donc intérêt à réorganiser le rayon. L'étagère des articles de première nécessité est un peu poussiéreuse, aussi. Débarrassez-la une fois afin de bien la nettoyer.

La voix du konbini parle sans discontinuer dans ma tête pour me souffler ce qu'il souhaite devenir et ce dont la boutique a besoin. Ce n'est pas moi qui m'exprime, mais le konbini à travers moi. Je ne fais que transmettre les révélations que je reçois.

— Entendu! répond la jeune femme avec ferveur.

— La porte d'entrée est couverte d'empreintes. Elles sont très visibles, veillez donc à bien les nettoyer. Il y a beaucoup de femmes parmi vos clients, vous auriez intérêt à proposer des soupes aux vermicelles d'amidon. Parlez-en à votre gérant. Ensuite...

— Qu'est-ce que tu fabriques? s'écrie une voix.

Shiraha, qui est sorti des toilettes, m'attrape par le poignet.

— En quoi puis-je vous aider, monsieur? dis-je par réflexe.

— Te fous pas de ma gueule! s'époumone-t-il en m'entraînant dehors jusqu'au coin de la rue. C'est quoi ces conneries encore!

— J'ai entendu la voix du konbini.

Il me regarde avec dégoût, les traits déformés par la colère.

Mais je ne me laisse pas démonter.

— Le chant du konbini résonne en permanence dans mon organisme. Je suis née pour l'écouter.

— Qu'est-ce que...

Il me contemple avec horreur. Je m'empresse de poursuivre :

— J'ai enfin compris. Avant d'être un humain, je suis une vendeuse de konbini. Même défaillante, même à la rue, mise au ban de la société, je ne peux plus fuir. Mon organisme tout entier est voué au konbini.

Sans un mot, Shiraha, le visage toujours ridé, m'attrape par le poignet pour me conduire vers le bâtiment.

— Tu délires. Le monde ne tolère pas ce genre de créature. C'est contraire aux règles de la communauté ! Elles sont vouées à une vie en solitaire, rejetées de tous. Tu ferais mieux de travailler pour m'entretenir. Ça arrange tout le monde. Tout le monde t'en félicitera !

— Je n'irai pas avec toi. J'appartiens à l'espèce des employés de supérette. Je ne peux pas trahir ma nature.

— Je ne te laisserai pas faire !

Je dresse l'échine d'un air solennel.

— Envers et contre tous, je reste une vendeuse de konbini, proclamé-je. En tant qu'humain, certes, ta présence me facilite peut-être la vie et rassure mon entourage. Mais en tant qu'employée de supérette, je n'ai absolument pas besoin de toi !

On perd notre temps à discuter comme ça. Je dois recommencer à prendre soin de mon corps pour le konbini. Je dois me refaire une santé, afin de pouvoir restocker les boissons et nettoyer le sol avec aisance, pour répondre sans faute aux demandes du konbini.

— Tu me débectes. Tu n'as rien d'humain, éructe Shiraha.

Je l'avais pourtant prévenu. Je dégage enfin mon bras, que je serre contre ma poitrine.

C'est la main précieuse avec laquelle je rends la monnaie aux clients et emballe les articles de restauration rapide. La sueur de Shiraha qui me colle à la peau me répugne. Je meurs d'envie de me laver, par respect pour la clientèle.

— Tu vas le regretter, c'est moi qui te le dis ! s'écrie Shiraha avant de regagner la gare tout seul.

Je sors mon téléphone de mon sac. Je dois d'abord prévenir les recruteurs que je ne pourrai pas honorer le rendez-vous, avant de chercher une nouvelle boutique où travailler.

Je contemple mon reflet dans la vitre de la supérette dont je viens de sortir. Avisant ces bras et ces jambes conçus pour le konbini, il me semble pour la première fois avoir trouvé un sens à ma vie.

— Bienvenue dans notre magasin !

Je repense au moment où j'ai vu pour la première fois mon neveu à travers la glace de l'hôpital, juste après sa naissance. De l'autre côté de la vitre retentit une voix claire qui ressemble à la mienne. Je sens toutes mes cellules s'agiter sous ma peau, réveillées par le chant du konbini.

DU MÊME AUTEUR

Aux Éditions Denoël

KONBINI, 2018 (Folio n° 6633 sous le titre LA FILLE DE
LA SUPÉRETTE)

Composition PCA/CMB
Achevé d'imprimer par Novoprint
le 18 mars 2019
Dépôt légal : mars 2019

ISBN 978-2-07-279855-9/Imprimé en Espagne

342646